*c o l l*

## L'HEURE PLAISIR

▼

# Romans jeunesse

**HRW**

**Éditions HRW**

Groupe Éducalivres inc.
955, rue Bergar
Laval (Québec)  H7L 4Z6
Téléphone : (514) 334-8466
Télécopieur : (514) 334-8387
Internet : http://www.educalivres.com

**L'HEURE PLAISIR**

▼

*Déjà parus dans cette collection :*

# L'Étranger du vieux manoir

▼

*Briac*

L'Étranger du vieux manoir
*Briac*
Collection L'Heure Plaisir

Directeur de la collection : Yves Lizotte
Illustrations de la couverture : Pierre Bourgouin

Tous droits réservés
© **1993, Éditions HRW** ■ Groupe Éducalivres inc.
ISBN 0-03-927416-0
Dépôt légal – 4ᵉ trimestre 1993
Bibliothèque nationale du Québec, 1993
Bibliothèque nationale du Canada, 1993    3 4 5 6 7 8 9 0 H 6 5 4 3 2 1 0 9 8 7

# Table des chapitres

▼

# Liste des
# personnages de ce récit

▼

Au besoin, consulte cette liste pour
retracer l'identité d'un personnage.

*Personnages principaux :*

*Éric
Landry :* un jeune garçon de
14 ans en vacances
chez son cousin.

*Guillaume
Ouimet :* un jeune garçon de
13 ans, cousin d'Éric.

*Personnages secondaires :*

*Robert
Sarrazin :* un pomiculteur.

*L'étranger du
vieux manoir*

*Monique
Ouimet :* la mère de Guillaume.

*M. Ouimet :* le père de Guillaume.

*M. Desrochers :* le sergent de police.

# Chapitre 1

# Les vampires
# n'existent pas!

– Les vampires, ça n'existe pas! Tu lis trop de Stephen King! Ce n'est pas étonnant que tu aies des hallucinations...

– Je te dis que je l'ai vu sortir en pleine nuit l'autre soir et se diriger vers le vieux cimetière.

– L'as-tu suivi? demande Éric.

– Es-tu malade? s'écrie Guillaume. Je ne voulais pas me faire attaquer.

– Donc, jusqu'à preuve du contraire, tu fabules...

Éric est habitué aux élucubrations de son cousin Guillaume. Depuis cinq ans, tous les étés, il vient passer deux semaines à son chalet dans les Laurentides. Chaque année lui réserve de nouvelles surprises jusqu'ici plutôt sans conséquence.

Certes, il y a bien eu cette soirée où Éric s'est laissé entraîner dans une école abandonnée. Guillaume lui a assuré que leur «entrée par effraction» dans le bâtiment ne causerait aucun problème. En effet, tous les jeunes de la région s'y retrouvent régulièrement pour faire des compétitions de planche à roulettes dans l'ancienne salle de récréation.

Lorsque Éric a évoqué une possible intervention de la police, l'autre a répondu en riant que les policiers ont d'autres chats à fouetter. C'était mal connaître le hasard : Guillaume n'a pas prévu que les habitants du village, fatigués de voir des «malcommodes» se rassembler dans le voisinage, préviendraient les autorités municipales.

L'arrivée rapide des policiers et le court séjour au poste ont bouleversé bien des familles. Ils étaient quinze à se demander comment annoncer la mauvaise nouvelle à leurs parents. Guillaume et Éric en ont été quittes pour une sévère réprimande et quelques jours de «travaux forcés».

* * *

Aujourd'hui, Éric considère presque que son cousin a perdu la raison. À quatorze ans — Guillaume en a treize — il ne croit plus à ces histoires d'esprits malins et encore moins de vampires. Il a dépassé ce stade et souhaiterait que l'autre en fasse autant.

Pourtant, Guillaume n'en démord pas. Il tient à ce qu'Éric voie de ses propres yeux. Il a réussi à le convaincre de le suivre jusqu'au vieux tas de bois qui borde la propriété d'un pomiculteur du coin. C'est l'endroit idéal pour observer les faits et gestes de l'étranger du vieux manoir.

Pour ce faire, il faut traverser le verger du bonhomme et se faufiler dans le foin à son insu. Ainsi, personne ne les verra, surtout pas celui qui fait l'objet de la discussion...

– Essaie de faire moins de bruit, chuchote Guillaume. Tu vas alerter le propriétaire du verger.

– Est-ce ma faute si je ne vois rien? Il fait si noir que je ne sais même pas où je pose les pieds.

– Tu n'as qu'à me suivre. Je connais le chemin par cœur.

– C'est encore loin, ton manoir vampirique? ironise Éric.

– Ris tant que tu veux. Tu vas rire jaune tout à l'heure.

– Écoute, Guillaume. Je ne veux pas te faire de la peine, mais je pense que...

– Couche-toi et ne bouge plus!

Brusquement, Guillaume saisit son cousin par le bras et le tire dans les buissons.

– Veux-tu bien me dire ce qui te prend?

– Je suis sûr que nous sommes suivis. J'ai entendu des branches craquer.

– Ton imagination finira par te jouer...

– Chut!...

Ils restent de longues minutes sans bouger. Le bruit semble avoir cessé, mais Guillaume juge plus prudent de patienter quelques instants avant de reprendre la route. Sentant qu'il ne parviendra pas à lui faire entendre raison, Éric choisit d'obéir aveuglément. Tôt ou tard, Guillaume se rendra bien compte du ridicule de la situation et proposera de faire demi-tour.

Ils reprennent leur marche et atteignent le fameux tas de bois après avoir complètement trempé leurs souliers dans une mare d'eau boueuse.

— Ah! Sacrabo! Mes souliers! Il me semblait que tu connaissais le chemin par cœur?

— Je ne pouvais pas deviner...

— C'est ça ton château maléfique? coupe Éric.

— Tais-toi et regarde, fait l'autre en guise de réponse.

Le manoir est un très vieux bâtiment en pierre qui, au dire de Guillaume, n'est pas habité depuis dix ans. Les dernières personnes à l'avoir occupé ont quitté les lieux plutôt mystérieusement, laissant tout à l'abandon.

Le terrain qui l'entoure ne paye pas de mine. Des vieilles souches, des arbres morts, des tas de terre durcie par le soleil et des rochers sombres ajoutent encore à l'aspect sinistre de l'endroit. Derrière, c'est la désolation. La végétation se fait timide : des roches, des carcasses, des objets pêlemêle. Au fond, une cabane délabrée tient debout tant bien que mal.

Quant à la maison elle-même, elle n'a

rien d'invitant. Des panneaux de bois recouvrent la plupart des fenêtres et laissent croire qu'effectivement personne n'habite là. À certains endroits, la pierre se détache de la structure, faute d'entretien. Sur le côté, le mur semble même près de s'écrouler. Un lierre à moitié mort grimpe le long d'une tour qui fait le coin, longe les corniches et se perd sur la toiture. Les portes ressemblent en tous points à celles des grands châteaux de l'époque des chevaliers. Bref, le lieu est lugubre et présente suffisamment d'éléments insolites pour repousser même les plus curieux.

Guillaume paralyse chaque fois qu'il jette un regard sur ce manoir. Même si son cousin lui reproche ses lectures, c'est plutôt au cinéma qu'il doit en partie ce malaise. En effet, malgré sa propension à imaginer les choses les plus terrifiantes, Guillaume ne rate pas une occasion de louer des films d'horreur ou de se coucher tard quand il en passe un à la télé.

Sa première visite au manoir relève d'un pur hasard. Il a emprunté un chemin inconnu à bicyclette et son insatiable curiosité l'a poussé à se rendre jusqu'au bout. L'apparition du vieux bâtiment l'a figé net, et il est resté de longs moments immobile devant cette vision digne des meilleurs films d'horreur. Quand il a repris ses esprits, il a pédalé à toute vitesse pour rentrer chez lui.

Pourtant, quelque chose d'inexplicable l'a poussé à y retourner. Par souci de prudence, il a décidé de passer sur le terrain du pomiculteur pour observer de loin cet endroit maléfique. Son imagination fertile l'a emporté dans les dédales de ce manoir où il tente d'échapper aux attaques d'un sombre personnage.

Puis, un soir qu'il écoutait un film de vampires, il a reçu le choc en pleine face : le château qu'il voyait sur l'écran existait à deux pas de chez lui!!! Il n'en fallait pas plus pour le convaincre que la réalité pouvait dépasser la fiction. Cette nuit-là, il n'a pas dormi...

— J'admets que ce n'est pas un endroit très accueillant, mais je ne vois pas ce qui peut t'énerver à ce point, dit Éric. Un vieux château, ça ressemble à un vieux château.

— Je te le dis, c'est exactement comme

dans le film!

– Justement! Tu vois trop de films! Je commence à te trouver pas mal fatigant avec tes histoires. Je ne suis pas venu en vacances ici pour écouter des folies pareilles.

– Ce n'est pas des folies. Attends encore quelques minutes et tu verras qu'il y a quelqu'un de très bizarre qui habite ici.

– Et puis? Tout le monde a le droit d'être bizarre.

Guillaume s'impatiente. Il s'attend à une meilleure compréhension de la part d'Éric. Il a beau lui expliquer que l'homme sort à la même heure tous les soirs, qu'il se dirige toujours vers le cimetière et que sa démarche ressemble davantage à celle d'un oiseau qui volette qu'à celle d'un être humain, l'autre soutient malgré tout que ça ne prouve rien.

– Moi, je suis sûr que c'est un vampire...

– L'as-tu seulement vu de près?

– Pas vraiment, mais d'après ce que j'ai vu dans le film, ça ne peut pas être autre chose.

– Alors on mangera de l'ail, propose

Éric avec un sourire en coin.

— De l'ail? Pourquoi faire?

— Ton film ne t'a pas révélé que l'ail fait fuir les vampires?

— Non. C'est vrai? demande Guillaume, heureux du soudain intérêt de son compagnon.

— Mets-en que c'est vrai! Il paraît même qu'avec un bon steak et des frites, c'est encore mieux...

— Très drôle, très drôle...

Éric éclate de rire. Il est plutôt du genre sceptique. Son père lui avait appris très jeune à raisonner ses peurs et ses inquiétudes. Aussi, l'insistance de Guillaume commence à l'amuser. Puisque son cousin est si craintif, il saura bien en profiter. Pour l'instant, il choisit de jouer le jeu et de voir jusqu'où ira toute cette histoire.

Guillaume, lui, s'est tu. Il regrette presque d'avoir confié son secret à Éric. Convaincu d'avoir raison, il s'attendait à être pris plus au sérieux. Mais voilà que celui sur qui il comptait se moque de lui. Il soupire.

— Allons, lance Éric. Ne fais pas cette tête-là. Je voulais juste t'agacer un peu.

On va rester le temps qu'il faudra pour le voir ton gars.

— Ça ne sera plus la peine, soupire Guillaume en consultant sa montre. Il est passé dix heures. On a dû le manquer.

Au même moment, un léger faisceau de lumière attire l'attention des deux garçons. Le silence de la campagne leur permet même d'entendre grincer les gonds de la porte de côté. Tel que l'a prédit Guillaume, une personne sort lentement du bâtiment.

Bien que leurs yeux soient habitués à l'obscurité, ils ne distinguent pas grand-chose, à peine une forme qui, pour l'instant, s'attarde dans l'embrasure de la porte. Éric observe la scène d'un air détaché, tandis que son compagnon sent son cœur battre dans sa poitrine.

Soudain, la forme bouge et le faisceau de lumière disparaît. Les deux adolescents se regardent, étonnés. Impossible de dire si la personne est rentrée. Tout s'est déroulé trop rapidement. Guillaume se tapit davantage et scrute attentivement les environs. Au bout de quelques minutes, il donne un coup de coude à Éric.

— Regarde!

– Où ça?

– Près des rochers à gauche...

Comme par magie et sans aucun bruit, l'ombre se déplace et circule maintenant librement sur le terrain. Elle avance avec une souplesse et une agilité remarquables. Le jeune superstitieux en est tout secoué. Comment une personne peut-elle arriver à «flotter» ainsi, sans avoir l'air de toucher le sol?

– Bon. Ça va. Qu'est-ce qu'on fait? On lui saute dessus?

– Es-tu fou? proteste Guillaume.

– As-tu une autre suggestion?

– On attend encore un peu.

– O.K., mais pas plus de cinq minutes. Je commence à avoir des fourmis dans les jambes et en plus, je suis gelé.

À peine a-t-il achevé sa phrase qu'il éternue, alertant du même coup l'individu qui s'arrête net et se retourne vers le tas de bois. Avec autant de souplesse, mais plus de rapidité, il se dirige vers les deux guetteurs.

– Il s'en vient! Vite! Sauvons-nous! fait Guillaume, pris de panique.

Le moment pour éternuer ne pouvait

pas être plus mal choisi. Les deux jeunes s'enfuient à toutes jambes. Ils espèrent avoir suffisamment d'avance pour n'être pas inquiétés. Guillaume se retourne souvent craignant d'être rattrapé. Il constate finalement que l'ennemi semble avoir abandonné la poursuite. Il ralentit donc sa course, aussitôt imité par son cousin.

– Ouf! Nous l'avons échappé belle! déclare Guillaume.

– Si tu le dis... grogne l'autre toujours aussi sceptique. Maintenant, rentrons. J'ai hâte de me réchauffer.

Cependant, ils n'ont pas le temps de reprendre leur route. Deux mains vigou-reuses, qui ne souffrent pas de résistance, les empoignent, leur couvrent la bouche et les emmènent Dieu sait où...

# Chapitre 2

# Rêve ou réalité?

L'énervement sinon la panique gagne rapidement Guillaume. La tête coincée entre la forte taille et le bras herculéen de son mystérieux agresseur, il effleure le sol. De plus, sa situation délicate lui fait perdre le sens de l'orientation. Il a une peur bleue d'être retenu prisonnier dans le manoir maléfique.

Éric, lui, regrette non seulement de ne pas avoir pris son cousin au sérieux, mais aussi de s'être laissé entraîner une fois de plus dans ses histoires. Que va-t-il devenir? Il voudrait bien le savoir...

Quant à l'agresseur, il avance en

silence, d'un pas décidé, vers une destination encore inconnue. Sa démarche assurée confirme cependant qu'il sait exactement où il va.

Éric et Guillaume seront bientôt fixés sur leur sort. L'homme ralentit sa foulée, monte un petit escalier et les pousse brutalement à l'intérieur de sa demeure plongée dans une obscurité presque totale.

Les deux adolescents, craignant le pire, restent sur le plancher pendant un temps qui leur paraît interminable. Même s'ils ne distinguent pas l'homme dans l'obscurité, ils sentent parfaitement sa présence. Pourtant, il ne bouge pas. Il attend patiemment.

Éric, lassé de ce lourd silence et répondant à une impulsion typiquement aventureuse, lâche sur un ton insolent :

— Qu'est-ce que vous nous voulez?

Il n'obtient aucune réponse. Stoïque, l'homme ne remue pas un muscle. Guillaume, après avoir ravalé sa salive plusieurs fois, se risque à son tour :

— Qui êtes-vous?

Rien. Pas un mot ni un geste. S'ils n'étaient pas persuadés que l'inconnu se trouve bel et bien à deux pas d'eux, les garçons pourraient facilement se croire seuls. L'agresseur garde obstinément le silence. Guillaume n'en peut plus. Il se permet à nouveau de prononcer quelques mots :

— Vous... n'avez pas le... droit de nous garder ici. Laissez-nous partir.

Une allumette craque et éclaire le visage de l'individu l'espace d'un instant. Elle s'éteint aussitôt. Le crâne un peu dégarni, le cou large et les épaules carrées, le corps droit, l'homme en impose par son assurance tranquille. Il dit calmement en laissant échapper un peu de fumée :

— Tu es mal placé pour exiger quoi que ce soit, le jeune. Alors, tu te calmes et tu convaincs ton ami baveux de faire de même, ou bien je m'énerve.

Guillaume frappe son cousin du coude pour l'enjoindre de se conformer aux exigences du bonhomme. Éric décide de faire à sa tête et de provoquer son adversaire, convaincu par sa voix presque douce qu'il ne les touchera pas.

— On ne vous a rien fait. Laissez-nous...

Il n'a pas le temps d'achever sa phrase.

Déjà il est pris au collet :

— Tu as la tête dure, mon coco. Il faudrait te donner des leçons de savoir-vivre.

— Lâchez-moi, j'étouffe...

— Je n'aime pas les petits morveux de ton espèce, dit l'homme en resserrant davantage son étreinte. Alors tu vas me promettre de te conduire sagement et tu vas écouter bien gentiment ce que j'ai à dire.

Éric hoche la tête docilement et est aussitôt relâché. Guillaume s'approche et demande :

— Ça va?

— Ça va mieux... répond l'autre.

— J'aime qu'on me laisse tranquille, reprend l'homme, et surtout, qu'on respecte mes choses et ma propriété. Vous n'êtes pas les premiers à venir fouiner par ici, mais je vous garantis bien que vous serez les derniers.

— Qu'allez-vous faire de nous? s'inquiète Guillaume.

— Je n'ai pas encore décidé. Ce que je sais, c'est que vous allez me laisser vivre en paix.

— On ne faisait rien de mal. On faisait

juste regarder.

— Tu as une bien drôle de façon de regarder, le jeune. À ce temps-ci de l'année, les pommes ne tombent pas toutes seules des arbres.

— Les pommes? dit Éric.

— Ne faites pas les hypocrites! Je vous ai vus cet après-midi vous lancer des pommes. Vous êtes partis avant que j'arrive.

— On ne s'est jamais lancé de pommes, jure Guillaume.

— Peu importe! Ça n'explique pas ce que vous faites sur mon terrain à cette heure, rétorque l'homme.

— On ... observe le... vampire qui reste dans le château d'à côté.

— Quoi?

— Mon cousin pense que votre voisin c'est Dracula, résume Éric.

Le pomiculteur éclate de rire. Son voisin, un vampire? Mais où le garçon est-il allé chercher cette idée?

— Ah! C'est vraiment très drôle. Tu as une vive imagination. Il y a longtemps que je n'avais pas ri comme ça.

— Tu vois bien que tu es le seul à imaginer ces histoires! lance Éric.

Guillaume baisse la tête. En effet, personne jusqu'à présent ne le prend au sérieux, et c'est là son drame. Il a beau répéter à l'homme ce qu'il sait, celui-ci n'en finit plus de s'esclaffer. Chaque nouvel élément déclenche un fou rire.

Il a tout de même pris la peine de s'asseoir, de faire un peu de lumière et d'écouter jusqu'au bout le récit de Guillaume. À la fin, l'homme, par délicatesse, l'interroge sur les raisons qui le poussent à croire qu'un tel individu rôde dans les parages. Ce semblant d'intérêt réconforte Guillaume. Rapidement, l'atmosphère se détend et l'on échange des politesses. Chacun se nomme.

– Ouimet? Guillaume Ouimet?

– Oui. Et lui, c'est mon cousin, Éric Landry.

– Tu ne serais pas le fils de Monique?

– Vous connaissez ma mère?

– Si je la connais? Je l'ai promenée sur le tracteur de mon père quand elle était jeune.

L'homme raconte l'histoire de sa famille. Il parle aussi de son métier et des raisons qui l'ont incité à croire qu'ils étaient les auteurs du délit dont il les a accusés.

Il est près de minuit quand les deux garçons s'aperçoivent qu'il est plus que temps de rentrer.

— Faites attention à vous autres, conseille l'homme en les raccompagnant jusqu'au chemin. Et si j'étais à votre place, je laisserais le bonhomme d'à côté tranquille.

— C'est ce que je me tue à lui dire, approuve Éric.

— Ton histoire de vampire m'a beaucoup amusé, continue l'homme, mais je n'y crois pas tellement. J'espère que ça ne te vexe pas.

— Non, non, affirme Guillaume. Je suis habitué...

— Tout ce que je vous suggère, c'est de le laisser vivre en paix. Peu importe qui il est, cet homme-là a droit à sa tranquillité.

Éric et Guillaume avancent d'un bon pas. Le ciel est couvert et lourd. À n'en point douter, un violent orage se prépare. Déjà, au loin, le tonnerre gronde et des éclairs zèbrent le ciel.

— On ferait mieux de se dépêcher, dit Guillaume. On va y goûter!

— Passons par ici, suggère Éric. Ça va aller plus vite.

— J'aimerais mieux pas. Ce n'est... pas très éclairé...

— Viens-t'en! Je n'ai pas envie de me faire mouiller!

Le ton d'Éric n'invite guère à la réplique. Guillaume se résigne et suit son cousin. Subitement, la pluie, accompagnée d'éclairs et de violents coups de tonnerre, s'abat sur eux. Le vent manifeste aussi sa présence et sa puissance ralentit la marche des garçons.

— Sacrabo! s'écrie Éric. On est en plein dans l'orage!

Guillaume n'entend pas la fin de la phrase. Pendant que le tonnerre roule dans le firmament, un éclair foudroie un orme géant au pied de la montagne. Puis un autre éclair répand la lumière sur la plaine.

Guillaume s'arrête net. Sur un rocher, quelques mètres à droite de la route, vêtu d'une grande cape noire, il se tient là, immobile, telle une statue à la merci des intempéries.

Le ciel s'éclaire de nouveau : la statue a disparu... Éric, s'apercevant que son cousin ne le suit plus, revient sur ses pas.

– Qu'est-ce qui te prend? Ce n'est pas le moment de s'arrêter.

– Je... l'ai vu...

– Qui ça?

– Le ... vampire... Il était là, juste à deux pas de nous...

– Tu ne vas pas recommencer? Pas encore! Vite! On est presque arrivés.

Éric entraîne Guillaume de force. Il n'a aucune envie de rester dans cette tempête. Ils franchissent bientôt le seuil des Ouimet, complètement trempés.

– Enfin! Vous voilà! s'exclame la mère de Guillaume.

– Excuse-nous, ma tante. On a été surpris par...

– ... M. Sarrazin. Je le sais. Il m'a téléphoné.

– Pourquoi? demande Guillaume.

– Pour me dire, entre autres, qu'il était responsable de votre retard et que vous n'alliez pas tarder à rentrer.

– Est-ce qu'il t'a dit autre chose? s'enquiert Guillaume.

– Qu'il croyait que vous abîmiez son verger, et qu'il vous avait foutu la trouille en vous enfermant dans sa cabane.

– C'est tout?

– Oui. Pourquoi cette question? fait la mère intriguée par la l'insistance de son fils.

– Pour... rien. Bon! On va aller se changer et dormir un peu. Bonne nuit!

– Bonne nuit!

Éric n'a pas attendu la fin de la conversation et s'est déjà retiré dans ses quartiers. Il s'endort presque aussitôt, à la grande déception de son cousin qui aurait voulu reparler de ce qu'il avait vu.

Guillaume gagne sa chambre à son tour, se déshabille et se couche par-dessus les draps; malgré la pluie abondante des dernières heures, l'air ne s'est guère rafraîchi.

Le jeune garçon jongle un long moment avec ses pensées. Le fait que son cousin ne l'ait pas relancé sur la dernière apparition le chagrine un peu. Il se demande s'il n'est pas en train de vraiment l'exaspérer avec cette histoire de vampire. Éric a peut-être raison. Il est peut-être victime de son imagination débordante. Les nombreux films d'horreur qu'il a vus récemment l'influencent peut-être trop.

Guillaume essaie d'être le plus objectif possible, mais des images si nettes lui reviennent en tête qu'elles le renforcent dans ses convictions. L'homme du bout du rang, s'il n'est pas un vampire, est du moins trop bizarre pour être considéré comme normal. Et puis, il sait ce qu'il a vu, là-bas, au manoir, et quelques heures plus tard, sur le rocher.

L'orage qui sévit toujours l'empêche de dormir. Le vent continue à pousser violemment la pluie contre les carreaux, faisant sursauter l'adolescent. De temps à autre, il lève la tête brusquement, scrute sa chambre et se recouche, rassuré.

Soudain, un violent bruit retentit et la vitre vole en éclats. Guillaume, les yeux écarquillés, incapable d'articuler un seul son, s'enfonce le plus possible dans son lit. Un éclair venu illuminer toute sa chambre lui dévoile un spectacle qui le glace d'horreur...

## Chapitre 3

# Tu cherches quelque chose, petit ?

Guillaume, toujours paralysé, veut crier de toutes ses forces et appeler Éric à son secours, mais le visiteur tant redouté le terrorise et l'empêche de réagir.

L'homme ou l'être ne bouge pas ou presque. Tout au plus se contente-t-il de rester au milieu de la pièce et d'y promener un regard inquisiteur. Il semble même ignorer la présence du jeune garçon. Guillaume dont le lit est placé en angle du côté de la fenêtre suppose qu'il n'a pas été repéré et s'efforce de faire le mort. Après tout, ON n'est peut-être pas venu pour lui : ce serait toujours ça de gagné. Toutefois, il faut être prudent, un seul mouvement peut compromettre ses chances de passer inaperçu.

L'atmosphère qui règne dans la chambre n'a rien de rassurant. Depuis l'arrivée de l'étranger, une forte odeur de putréfaction se répand. Sans une bonne circulation d'air, on suffoquerait.

Soudain, le lit craque et Guillaume sent qu'on se dirige vers lui. Malgré la peur qui le tenaille, il reste immobile, les yeux clos. À mesure que l'homme s'approche, l'air devient de plus en plus irrespirable. Guillaume retient son souffle tellement la puanteur lui lève le cœur.

Malgré tout, son instinct de survie se réveille peu à peu. Il se sait coincé, mais il doit tenter de sauver sa peau. À travers ses paupières closes, il distingue son agresseur à quelques centimètres de son visage. Les yeux brillants, le teint pâle, les lèvres foncées, il entrouve la bouche en se penchant sur son cou.

Au moment où il s'apprête à enfoncer ses dents pointues dans sa chair, Guillaume retrouve l'usage de ses cordes vocales et crie suffisamment fort pour réveiller son cousin qui accourt aussitôt.

— Qu'est-ce qui t'arrive? demande-t-il en allumant le plafonnier.

— J'ai failli... être attaqué...

— Tu as fait un cauchemar, ouais! Probablement ton Dracula qui voulait bouffer ton sang...

— Mais... c'était tellement... réel... la vitre cassée, l'odeur...

— L'odeur? C'est tes bas qui puent. Et ils puent en sacrabo! La vitre... c'est cette branche...

Éric se penche et ramasse une branche de bouleau. Selon toute vraisemblance, le vent l'a violemment projetée contre la fenêtre.

— Je suis pourtant sûr que quelqu'un est entré dans ma chambre, proteste Guillaume.

— Si tu y tiens... répond Éric, indifférent. En tout cas, s'il revient, appelle-moi... Pour l'instant, tu peux être sûr d'une chose : je retourne me coucher. Salut!

Guillaume se sent à la fois soulagé et déçu d'avoir fait un cauchemar. Certes, il doute maintenant de ce qu'il a ressenti, mais il garde la nette impression d'avoir reçu un visiteur. «Après tout, pense-t-il, les rêves et la réalité se confondent souvent.»

Que s'est-il vraiment passé? L'inconnu les a-t-il suivis jusqu'à la maison? Il n'ose répondre à ces questions, mais par acquit de conscience, il décide de jeter un coup d'œil par la fenêtre. Il verra bien si on a laissé des traces.

Son inspection rapide des lieux ne lui apprend rien de nouveau. Il n'y a pas de traces apparentes d'effraction. Il peut donc se recoucher. Néanmoins, il préfère descendre au salon pour y dormir. Ça lui paraît à la fois plus sage et plus rassurant. Si demain sa mère lui demande ce qu'il fait là, il n'aura qu'à parler de la vitre brisée et de la pluie sur le plancher. Cette explication devrait suffire.

La nuit se termine paisiblement. Guillaume se réveille tôt et constate que l'orage a laissé ses traces. Des branches mortes jonchent le terrain qui demande un sérieux nettoyage.

Sa mère et son cousin se lèvent peu après et constatent à leur tour les dégâts.

– Je compte sur vous pour ramasser tout ça, les garçons?

– Bien sûr, maman. Il faudra aussi remplacer la vitre fracassée pendant l'orage.

Éric raconte à sa tante sa version des événements de la veille. Au grand soulagement de Guillaume, il ne mentionne pas l'histoire du vampire dont il se fait rebattre les oreilles depuis son arrivée. C'est une affaire entre les deux gars, et il n'est pas question d'y mêler quelqu'un d'autre.

Les garçons déjeunent avec appétit. Guillaume retrouve peu à peu sa bonne humeur et réussit à oublier son expérience nocturne. Une demi-heure plus tard, ils s'affairent à remettre le parterre en ordre. Au bout de deux heures, le terrain est impeccable.

M$^{me}$ Ouimet charge les jeunes d'autres commissions et demande à son fils de faire livrer de la vitre dans le courant de l'après-midi. À son retour, M. Ouimet, bricoleur chevronné, réparera les carreaux brisés.

Ils enfourchent donc leur bicyclette et se rendent au magasin général, qui sert à la fois de quincaillerie et de marché d'alimentation. C'est le seul magasin du village, mais on y trouve de tout.

Après avoir salué le propriétaire que tout le monde connaît, ils arpentent nonchalamment les allées plutôt désertes à cette heure de la journée.

Guillaume reconnaît quelques voisins, les salue et apprend que la foudre qui a abattu l'orme la veille a failli déclencher un important feu de forêt. Heureusement, la forte pluie qui tombait l'a rapidement étouffé.

Il raconte à son tour l'épisode de la branche, mais s'interrompt subitement. Au bout de l'allée, un homme, qu'il aurait reconnu entre mille, semble faire son marché.

– Regarde!

– Quoi? fait Éric.

– C'est lui!...

– Qui, lui?

– Le vampire...

– Encore!

Toutefois, loin de se fâcher, Éric décide de profiter de la situation pour pousser son cousin à bout. Puisque la raison n'exerce aucune emprise sur lui, il faut jouer d'audace.

L'homme, se sentant observé, se

retourne vers les deux garçons et fait mine de s'avancer. Guillaume veut s'enfuir, mais son cousin le retient.

– Où vas-tu?

– Es-tu fou? Tu ne vois pas qu'il vient vers nous?

– Et alors? rétorque Éric qui commence à s'amuser follement.

– Il va nous attaquer!

– En plein magasin? Je parie qu'il n'osera pas approcher.

Éric a vu juste. L'homme s'est ravisé. Plantant son chariot là, il se dirige vers le fond du magasin.

Sans permettre à Guillaume de retrouver son aplomb, Éric fonce sur le panier à provisions du bonhomme en enjoignant son cousin de le suivre. Déchiré entre la curiosité et la peur, entre la possibilité d'en apprendre plus long sur l'homme ou de se contenter de ce qu'il sait, Guillaume hésite.

Il jette un coup d'œil rapide dans les allées et, ne voyant pas l'inconnu, il rejoint Éric qui a déjà dressé l'inventaire du panier.

– Sacrabo! Je n'ai jamais vu quelqu'un acheter autant de chandelles à la fois.

Pour moi, il prépare un «party» ton bonhomme.

— Qu'est-ce qu'il y a d'autre? demande Guillaume en regardant de chaque côté.

— De la broche, des clous, de la teinture, des pinceaux...

— Ouais! Je me demande bien ce qu'il veut faire avec tout ça.

— Peut-être... un cercueil? propose Éric en éclatant de rire.

À ces mots, Guillaume pâlit. Éric se paye sa tête, c'est sûr, mais tout de même. Rien de ce qu'il a observé chez cet individu ne lui paraît normal. Il se permet donc de considérer cette possibilité.

— Non, mais change d'air! Tu ne t'es pas vu? Tu es pâle comme un ... vampire... Ah! Ah! Ah!

— Arrête de rire de moi! Si tu étais à ma place, tu n'aimerais pas qu'on réagisse comme tu le fais.

— Excuse-moi. Je n'ai pas réfléchi. Ton histoire est tellement invraisemblable que je ne peux pas m'empêcher de faire des blagues.

— Si tu avais vu ce que j'ai vu, tu ne dirais pas cela...

— En tout cas, conclut Éric, je n'ai

jamais entendu parler de vampire, sauf au cinéma. Ça n'existe pas! Tu comprends? C'est dans ta tête tout ça. Allez! Viens qu'on finisse les commissions.

Éric laisse son cousin devant le chariot et part à la recherche des articles dont sa tante a besoin. Guillaume inspecte une dernière fois la marchandise, mais au moment où il s'apprête à retrouver son cousin, un colosse à l'allure étrange se dresse devant lui.

– Tu cherches quelque chose, petit?

# Chapitre 4

# Je ne mets pas les pieds là!

Jamais Guillaume n'aurait pu s'imaginer un si mauvais hasard. Pris au dépourvu, il n'arrive plus à articuler un son. L'homme se rapproche et lui saisit le bras.

– Tu cherches quelque chose, petit? répète-t-il en resserrant son étreinte.

Son teint blafard, ses mains puissantes et froides, ses lèvres trop rouges, bref, toute son apparence terrifie Guillaume. Et surtout, cette façon si particulière de le regarder comme s'il cherchait à l'hypnotiser, à pénétrer au plus profond de son âme.

Guillaume ne répond toujours pas et l'homme semble savourer chaque instant du charme démoniaque qu'il exerce sur lui. Le garçon est si envoûté qu'il le suivrait aveuglément n'importe où.

C'est sans doute ce qui serait arrivé si Éric n'était pas venu contrecarrer les plans du sombre individu. Puisque l'occasion se présente et que, de toute façon, il doit changer de tactique pour attirer sa proie chez lui, aussi bien faire coup double. Il devient donc plus mielleux, plus charmeur.

— Hum! Tu es costaud pour ton âge! C'est ton ami? demande l'homme en se tournant vers Éric.

— Non, je suis son cousin, répond Éric.

L'homme lâche le bras de Guillaume et l'examine des pieds à la tête.

— Je cherche justement des jeunes pour travailler sur mon terrain. Je viens d'emménager dans le manoir au bout du rang Martin, et je n'ai pas le temps de m'occuper de l'extérieur.

— Ouais! Je l'ai vu votre terrain, laisse échapper Éric. Il y a du travail à faire là.

Est-ce que c'est payant?

– L'argent ne pose pas de problème, répond l'homme. Vous en aurez plus que vous pensez. Il y a du travail pour environ une semaine et je vous paierai chaque jour. Ce n'est pas à dédaigner...

– Dans ce cas, nous acceptons.

– Très bien. Je vous attends demain matin. Comme je travaille la nuit et que je dors le jour, je ne vous verrai pas. Vous trouverez les instructions et votre salaire dans une enveloppe, sous le tapis de la porte d'en arrière. Au revoir! Prends soin de ton ami... On dirait qu'il a eu une apparition...

L'homme s'éloigne en riant. Avant que Guillaume sorte de sa torpeur et comprenne ce qui lui arrive, le mystérieux inconnu a déjà quitté le magasin.

– Où... où est-il?

– Parti! Toi aussi tu l'es pas mal... ironise Éric.

– Qu'est-ce qu'il t'a dit? Tu lui as parlé?

– Oui, pendant que tu étais sur une autre planète... Il est très gentil. Je ne vois vraiment pas pourquoi tu as si peur. Il nous a même offert un emploi.

– Quoi? crie Guillaume. Un emploi?

– Pas si fort! Oui, un emploi. Et ça a l'air payant. Alors j'ai dit oui pour les deux.

Guillaume contient mal sa colère et son énervement. L'idée d'aller travailler au manoir relève de la pure folie. C'est se jeter dans la gueule du loup. Jamais il ne dépassera le tas de bois qui lui sert d'observatoire. Jamais il ne s'aventurera sur le terrain de l'inconnu!

– Tu iras tout seul, déclare Guillaume. Moi, je ne mets pas les pieds là!

– Pourquoi?

– Je t'ai déjà expliqué pourquoi. Tu as ri de moi. Si en plus je te dis ce que j'ai ressenti tantôt quand il m'a surpris à fouiller, tu vas mourir de rire.

– Mais puisque je t'assure qu'il n'y a aucun danger.

– C'est toi qui le dis...

– On ne le verra même pas.

– Comment le sais-tu? demande Guillaume toujours aussi irrité.

– Il me l'a dit. Il travaille la nuit et dort le jour.

– Ça confirme encore plus ce que je pense de lui.

— Tu ne vas pas sauter aux conclusions à cause de ça? objecte Éric.

Les deux adolescents s'obstinent encore pendant un bon moment. Chacun reste sur ses positions. Plus l'un s'acharne à prouver son point de vue, plus l'autre soutient le contraire. Si bien qu'au bout de dix minutes, ils ne sont guère plus avancés.

— Reste chez vous si tu veux, mais moi j'ai besoin d'argent. Et je te répète que tes histoires ne m'impressionnent pas du tout.

Le ton sec de la discussion jette un froid entre les deux cousins. Ils ne s'adressent plus la parole jusqu'au retour à la maison. M^{me} Ouimet réussit à effacer la brouille à la condition que la journée du lendemain devienne un sujet tabou.

L'après-midi et la soirée se déroulent tout de même sous le signe de la détente. Même si l'on sent qu'un malaise subsiste entre les deux garçons, chacun s'efforce de ne pas contrarier l'autre.

Guillaume connaît une nuit moins agitée que la veille. Il dort relativement bien en essayant de chasser les fameuses images du petit écran qui lui reviennent sans cesse en mémoire.

Le lendemain matin, le soleil brille de tous ses feux. La journée s'annonce chaude et belle. Éric se lève de bonne heure, prend un bon déjeuner composé d'œufs, de jambon et de fromage et se prépare fébrilement à partir.

– Tu n'attends pas Guillaume? questionne M. Ouimet en finissant de nouer sa cravate.

– Il préfère rester couché. Peut-être qu'il viendra me rejoindre un peu plus tard.

– Alors passe une bonne journée! On se revoit en fin de semaine.

Éric serre la main de son oncle, met un lunch copieux dans son sac à dos et sort discrètement de la maison sans éveiller personne. Puis, il s'élance, enfourche sa bicyclette et roule en direction du rang Martin...

En chemin, il repense aux inquiétudes de Guillaume. Certes, le monde est rempli de malades, d'êtres violents, de maniaques de toutes sortes, mais de là à rencontrer un vampire comme à la télé... Non, il refuse carrément d'admettre cette absurdité. L'homme qui lui a offert du travail lui a plutôt fait une bonne impression.

Bien sûr, son accoutrement et son apparence physique surprennent un peu, mais pas au point d'en tirer des conclusions hâtives et déraisonnables. En fait, c'est l'obsession de son cousin qui inquiète surtout Éric. Il ne l'aurait jamais cru aussi impressionnable. Il ne le connaissait pas ainsi. Comment peut-il inventer une telle histoire simplement à partir d'une ressemblance entre les images d'un film et la réalité? Ça ne tient pas debout. Ça ne résiste à aucune analyse.

De toute façon, l'heure n'est pas aux fantaisies. La tâche qui l'attend l'empêche de s'attarder à ces balivernes. Pour tout dire, Éric se réjouit d'amasser un peu d'argent pendant ses vacances.

Le temps de calculer à peu près ce que rapporterait son travail et de prendre garde aux nombreux nids-de-poule creusés par la pluie, le jeune garçon est rendu sur le terrain. «C'est drôle! se dit-il à voix haute. Je ne connais même pas le nom de mon patron...»

Il se dirige vers l'arrière du manoir.

Comme prévu, une enveloppe contenant les consignes du bonhomme et deux billets de cinquante dollars s'y trouve. «Sacrabo! C'est la première fois que je vois ça d'aussi près! s'exclame Éric. Il est généreux!» Il fourre l'argent dans ses poches et prend connaissance des tâches à accomplir : «Bonjour! Ramassez tout ce qui traîne et faites un tas dans le fond de la cour.»

C'est plutôt bref et imprécis. Que veut-il dire par «tout ce qui traîne»? Éric a envie de cogner pour demander des précisions, mais il se ravise. Personne n'aime se faire réveiller. Il faut se débrouiller.

Il entreprend son travail méthodiquement. D'abord, il ramassera le bois, ensuite le métal et finalement les divers objets.

Il vient à peine de commencer quand Guillaume le rejoint.

— Salut!

— Guillaume! Qu'est-ce qui t'arrive?

— Rien. J'ai décidé de venir t'aider. Je m'en voudrais de te laisser tout seul. Tu n'es pas venu en vacances ici pour qu'on fasse des choses chacun de notre côté.

– Ton aide ne sera pas de trop. Tiens! Voilà ta paye!

– Cinquante dollars! Ouais! Ça se prend bien! Qu'est-ce qu'il faut faire?

Éric lui explique la tâche à accomplir aussi brièvement que le message. Ils conviennent de se séparer le travail. Pendant que l'un s'occupera du bois, l'autre prendra soin du métal. Ils uniront ensuite leurs efforts pour la fin.

Ils se mettent à l'œuvre sans plus attendre. Éric procède minutieusement, désireux de bénéficier pendant plusieurs jours de la générosité de son employeur. Plutôt perfectionniste de nature, il se fait un devoir de ramasser tout ce qui traîne ou qui n'est pas complètement enterré.

Guillaume, lui, profite de sa présence sur le «terrain ennemi» pour tâcher de se reprendre en main. Son altercation avec Éric l'a fait réfléchir. Il s'est laissé emporter, son imagination lui a fait perdre le sens des réalités.

Il participe donc de son mieux à ce qui semble être le premier grand nettoyage de la propriété. À l'occasion, il lorgne du côté du bâtiment, à l'affût du moindre mouvement dans les rares fenêtres sans panneau. Il ose même s'en approcher pour montrer à son cousin qu'il a surmonté sa peur. Éric s'en aperçoit et se réjouit de la nouvelle attitude de Guillaume. Enfin ils vont passer à des choses sérieuses!

Ils finissent par prendre une pause bien méritée au cours de laquelle ils engouffrent tout le lunch qu'Éric a préparé.

– Je m'étais dit que si tu décidais de venir me rejoindre, je pourrais au moins t'offrir à bouffer, avoue-t-il.

– Merci d'avoir pensé à moi!

L'étranger du manoir ne s'est pas pointé le bout du nez. Les deux garçons jouissent donc en quelque sorte d'une pleine autonomie dont ils sont fiers.

Bientôt, ils se remettent à l'ouvrage qui les amène près du bâtiment lui-même. Il ne reste plus qu'à ramasser les morceaux de vitre, des boîtes de carton à moitié déchiquetées et quelques babioles.

À 17 h, alors que le soleil commence à baisser, ils ont rempli leur mandat. Ils s'apprêtent à quitter les lieux quand la curiosité pousse le plus téméraire des deux à risquer un œil à la fenêtre.

– Qu'est-ce que tu fais là? demande Guillaume.

– Je regarde à l'intérieur.

– Ne fais pas ça! Tu vas te faire prendre... Vois-tu quelque chose?

– Ça t'intrigue, hein? Viens voir toi-même si tu es si curieux! Tu as juste à te coller le nez dans la vitre et tu seras renseigné.

Guillaume hésite un instant, puis se laisse convaincre. Après tout, c'est un bon moyen de faire amende honorable. Ce n'est pas le moment de décevoir son cousin. Il approche donc à son tour et scrute l'intérieur de la pièce.

– On ne voit pas grand chose! s'exclame-t-il. Avec autant de fenêtres autour, c'est bizarre qu'il ne laisse pas entrer la lumière. Même celles qui n'ont pas de panneau sont opaques... Oh! j'ai cru voir bouger en dedans.

– Montre-moi ça! Non, je ne vois rien...

L'inspection va bon train. Guillaume se laisse gagner par la curiosité d'Éric. Ils passent d'une fenêtre à l'autre, se collent l'œil tantôt dans les fentes, tantôt sur les vitres. Rapidement, ils font le tour du château sans l'avoir vraiment cherché.

Entre-temps, le ciel s'est assombri et l'air s'est rafraîchi. Dans cet endroit isolé où les montagnes cachent rapidement le soleil, l'obscurité descend vite. Il vaut mieux rentrer.

– Bon! Assez perdu de temps, affirme Éric. Allons chercher nos bicyclettes et rentrons.

Ils reviennent sur leurs pas en s'attardant une dernière fois devant chaque fenêtre. Guillaume propose une course. Avant même qu'Éric ait le temps de réagir, l'autre se précipite vers l'avant du manoir. Quand Éric le rejoint, Guillaume constate que quelque chose ne tourne pas rond.

– Éric... nos bicyclettes... elles ont disparu...

## Chapitre 5

# Le piège se referme tranquillement

Il n'y a pas d'équivoque possible : quelqu'un a volé ou caché les bicyclettes. Éric qui, jusque-là, s'est moqué de toutes les inquiétudes de Guillaume, est furieux et déçu. Quant à son cousin, il a perdu la belle assurance qui l'animait quelques minutes auparavant.

– C'est sûrement le bonhomme qui nous a fait le coup...

Pour la première fois, à la grande surprise et à la grande satisfaction de Guillaume, Éric partage son avis.

– Tu as sans doute raison. Je ne vois

pas qui d'autre ça peut être.

– Qu'est-ce qu'on fait?

– On pourrait refaire le tour de la maison, mais ça ne servirait pas à grand chose. Peut-être... que la cabane...

– Tu veux qu'on fouille dedans?

– Pourquoi pas? On n'a rien à perdre!

Déjà, Éric s'élance à la recherche de son bien précieux. Stimulé par cette détermination, Guillaume le suit. La cabane, d'assez grandes dimensions, semble bien fragile. Pourtant, en poussant la porte, ils constatent la solidité de la structure.

L'intérieur est trop encombré pour contenir les bicyclettes. Des outils, du bois, des instruments aratoires et quelques vieux meubles n'offrent aucun intérêt aux yeux des deux garçons.

– Bon! Allons-nous-en!

– Aïe! Regarde! crie Guillaume.

Quelqu'un se tient à l'extérieur et s'apprête à fermer la porte. D'un seul bond, Éric se retrouve sur le seuil.

– Ah! C'est vous!

– Excusez-moi... J'ignorais que vous étiez à l'intérieur. Vous cherchiez quelque chose?

– Oui, nos bicyclettes... Guillaume! Viens! C'est monsieur... Au fait, c'est quoi votre nom?

– Vous avez perdu vos bicyclettes? continue l'homme en éludant la question. Je croyais pourtant vous avoir vus partir à bicyclette.

– On n'a pas pu partir puisqu'on est là, s'impatiente Éric.

– Justement! J'ai vu deux gars de votre âge quitter la propriété il y a à peine dix minutes... Je croyais que c'était vous...

– On n'a rien entendu, affirme Guillaume qui n'ose pas lever les yeux.

– Par où sont-ils partis? demande Éric.

– Vers le tas de bois là-bas... Bah! Avec l'argent que je vous donne, vous pourrez vous en payer des neuves... Voulez-vous boire quelque chose à l'intérieur?

Guillaume implore Éric du regard. Il veut rentrer. C'est aussi l'idée de l'autre qui est pressé de rapporter le vol des bicyclettes.

– Non merci. Une autre fois peut-être...

Si la réponse contrarie un peu l'étranger, il n'en laisse rien paraître. D'autres occasions se présenteront...

– Êtes-vous libres demain pour travailler?

– Oui, sûrement, répond Éric.

– Alors vous étendrez ces tas de terre le plus également possible. Ce sera assez difficile, mais je vous fais confiance. Quant à vos bicyclettes, je suis vraiment navré... J'essaierai de surveiller les parages au cas où les voleurs reviendraient...

– Merci monsieur... Monsieur?

– À demain!

L'homme rentre chez lui et se glisse derrière une fenêtre pour regarder les deux adolescents partir. Un léger sourire de satisfaction se dessine sur ses lèvres. Le piège se referme tranquillement sur eux. Dans quelque temps, ils seront prisonniers...

Éric et Guillaume s'en vont un peu étonnés. L'homme était poli mais assez indifférent. À deux reprises, il a évité de révéler son identité. Selon Éric, il cache quelque chose. Ils se dirigent vers le terrain de M. Sarrazin sans savoir que, quelques mètres derrière, on les épie.

— C'est louche tout ça, lâche Éric après un moment.

— Qu'est-ce que tu veux dire?

— Crois-tu à son explication sur la disparition de nos bicyclettes?

— Euh!... Tu sais que je n'ai jamais aimé ce gars-là... Honnêtement, je n'ai pas confiance en lui... Il me fait vraiment peur...

— En tout cas, moi je n'y crois pas. Je suis même prêt à parier que le voleur, c'est lui.

— Si j'avais osé prétendre ça, je suis sûr que tu ne m'aurais pas cru, dit Guillaume.

— Ne confonds pas tes histoires avec cela. Je ne parle pas de tes folies, moi. Je parle de nos bicyclettes. Ça ne peut être personne d'autre que lui. D'ailleurs, on va la vérifier, son explication.

— Comment?

— En demandant à M. Sarrazin. Il voit tout de chez lui, alors il saura si deux gars sont passés avec nos bicyclettes.

Ils arrivent rapidement chez le pomiculteur qui confirme ce que suspectait Éric : personne n'est passé par là à bicyclette. M. Sarrazin est formel. Il a entretenu ses arbres tout l'après-midi; si quelqu'un avait emprunté le droit de passage situé au bout de son terrain, il s'en serait aperçu.

Reste à savoir maintenant pourquoi l'étranger du manoir a menti. Quel but poursuit-il? Pour quelle raison a-t-il caché les bicyclettes? On avance toutes les hypothèses, des plus sérieuses aux plus farfelues. Même Guillaume exprime pour la énième fois ses craintes qui sont analysées en profondeur par souci de justice envers le garçon.

D'abord, M. Sarrazin trouve inadmissible de prétendre que cet homme se nourrit de sang, du moins pas comme le suggère Guillaume. Ensuite, cela n'a vraiment aucun lien avec la disparition des bicyclettes.

Éric, à la décharge de son cousin, convient cependant que la façon de s'habiller de l'étranger et ses traits physiques ont quelque chose de troublant. M. Sarrazin place les choses dans une autre perspective. Peut-être s'agit-il uniquement d'un effet du hasard? Peut-être joue-t-il un rôle pour chasser les curieux et s'adonner en toute tranquillité à il ne sait trop quelle activité?

Peu importe de quoi il s'agit, il faut se méfier. Le pomiculteur recommande donc aux adolescents la plus grande prudence. Ils ne doivent en aucune façon se retrouver seuls à l'intérieur du château. L'idéal serait même qu'ils ne retournent pas travailler le lendemain et qu'ils fassent le deuil de leurs bicyclettes.

Guillaume appuie sans réserve les propos de M. Sarrazin, mais Éric insiste quand même pour aller travailler. Après tout, prétend-il, si l'étranger leur voulait vraiment du mal, il aurait déjà agi.

— On n'est jamais assez prudent, mon garçon. Certaines personnes sont plus dangereuses qu'elles ne paraissent.

— Écoutez, vous êtes au courant de tout. On préviendra aussi la mère de Guillaume et on évitera le château. Je n'ai pas vraiment peur. Je suis juste un peu contrarié d'avoir perdu ma bicyclette. Avec l'argent qu'on fait, on va pouvoir s'en payer une autre. Et puis, on a promis qu'on serait là...

— Oui, mais on ne lui doit rien, réplique Guillaume.

— On sera très prudents et on lui dira

que c'est notre dernière journée.

— Dans ce cas, dit M. Sarrazin, je veux savoir à quelle heure vous serez là. Au moindre signe de danger, vous foncez par ici. Dans les circonstances, je préférerais que vous évitiez cet endroit. Cependant, je ne peux vous obliger à quoi que ce soit, mais je tiens à ce que vous en parliez à ta mère, Guillaume. Entendu?

— Promis, jure le garçon.

Les deux cousins gagnent leur domicile et laissent M. Sarrazin soucieux. Il n'aime pas du tout ce qui se passe et se demande vraiment s'ils ne courent pas un grave danger. Il a envie de téléphoner à M$^{me}$ Ouimet, mais se ravise. Les garçons ont promis de tout raconter : il vaut mieux ne pas les devancer. Il se promet toutefois de veiller au grain.

Éric et Guillaume s'obstinent à nouveau sur la situation. De tempéraments opposés, ils n'arrivent pas à s'entendre. Pour Éric, l'appât du gain et le désir de retrouver sa bicyclette l'emportent sur tout. Guillaume voit la situation d'un autre œil.

— Puisque M. Sarrazin veillera sur

nous... On n'a rien à craindre.

– On verra ce que dira ma mère.

– Tu veux l'inquiéter avec ça?

– On a promis de tout lui raconter...

– Tu veux passer le reste de l'été à lui décrire en détail tout ce que tu vas faire pendant la journée?

– Bien sûr que non! répond Guillaume.

– C'est exactement ce qui va arriver si tu lui parles...

Guillaume peste contre son cousin qui le place devant un choix difficile. Éric a raison. S'il parle à sa mère, il peut dire adieu à sa liberté. Pourtant, la prudence lui dicte de ne rien lui cacher.

– Tu m'énerves! s'emporte-t-il. Comment veux-tu que je me décide? Je ne sais même plus ce qu'il y a de mieux à faire...

– Écoute, Guillaume. On y va demain et après c'est fini. On s'arrange avec M. Sarrazin. On lui donne rendez-vous au tas de bois toutes les heures. Dès que la journée est terminée, on revient et on laisse une note au bonhomme. Es-tu d'accord avec ce plan?

– Je pense... que... oui...

Ils conviennent donc de ne pas inquiéter M^{me} Ouimet pour rien. Ils n'ont pas l'intention de courir de risques inutiles. De plus, la présence de M. Sarrazin leur assure une certaine sécurité. En franchissant le seuil, ils parlent de tout autre chose...

Le lendemain matin, Éric et Guillaume se présentent chez Robert Sarrazin vers 9 h 30. Éric expose son plan : toutes les heures, ils se rencontreront près du tas de bois. Au moindre signe de danger, ils quitteront l'endroit. Le premier rendez-vous est fixé à 11 h.

– Soyez prudents les gars!

– Il n'y a pas de danger! répond Éric. Tout ira bien, j'en suis sûr!

Ils arrivent au domaine sous le regard attentif de M. Sarrazin qui n'a d'ailleurs pas l'intention de bouger avant un petit moment. En même temps, une voiture transportant le propriétaire des lieux s'engage sur la route.

– Au moins, on est sûrs qu'il n'apparaîtra pas devant nous sans qu'on le voie venir, soupire Guillaume.

Comme la veille, une enveloppe les attend sur le seuil de la porte, mais cette fois, en plus de la note explicative, elle contient deux billets de cent dollars...

– Cent dollars! Sacrabo! À ce rythme-là, on va pouvoir les payer, nos bicyclettes.

– Mets-en! Bon! Commençons tout de suite pour finir au plus vite.

Avant de se mettre au travail, ils lisent la note de l'étranger : «Dans la cabane, vous trouverez des pelles, des râteaux et une brouette pour effectuer le travail dont je vous ai parlé hier. Je ne pense pas vous voir en fin de journée, car j'ai des occupations à l'extérieur de la ville. Si vous ne terminez pas aujourd'hui, vous pourrez revenir demain si le cœur vous en dit. Je vous offre un peu plus d'argent qu'hier parce que je me sens un peu responsable de la disparition de vos bicyclettes... Bonne journée!»

Éric met le papier dans sa poche et sort les outils de la cabane. La terre résiste aux premiers coups de pelle. La pluie des derniers jours et le soleil ardent de la veille l'ont durcie, mais les jeunes finissent par en venir à bout. Ils travaillent à un rythme régulier.

À 11 h, tel que convenu, ils s'avancent

vers le tas de bois où M. Sarrazin les attend.

– Vous êtes vaillants les gars! C'est beau de vous voir! Si vous cherchez du travail à l'automne, je vous engage sans hésiter!

– Comptez sur nous, dit Éric, toujours prêt à gagner de l'argent.

– Tenez! Je vous ai apporté un peu d'eau. Cette chaleur risque de vous déshydrater.

– Merci, répond Guillaume.

– Puisque le bonhomme est parti comme vous arriviez, on peut fixer le prochain rendez-vous un peu plus tard. Disons à 1 h. S'il revient, vous rappliquez par ici. Ça vous va?

– Parfait! dit Éric.

Les garçons reprennent le travail qui avance plus rapidement que prévu. Des trois tas de terre à étendre, il en reste deux.

C'est bientôt le temps de dîner. Ils s'installent près du tas de bois puisque l'heure de la deuxième rencontre approche. M. Sarrazin survient et leur annonce une nouvelle qui déconcerte un peu Guillaume. Il a été appelé pour venir en aide à un voisin. Il sera absent environ quatre heures. Il leur recommande de rentrer, mais Éric insiste pour finir le travail.

— On devrait même avoir terminé avant votre retour, précise-t-il.

Ils se quittent sur des recommandations de prudence. À 5 h, M. Sarrazin viendra les retrouver sur le terrain. S'il manquait à l'appel, ils doivent rentrer, que le travail soit terminé ou non. Les jeunes acquiescent et retournent à leur besogne.

L'après-midi file. Quand ils donnent leur dernier coup de pelle, il est 15 h 45. Ils rangent les outils à leur place et se préparent à rentrer.

— Regarde! dit Guillaume.

Éric se retourne en direction de la porte du manoir. Elle est entrouverte... Une seule poussée suffirait pour permettre l'accès à la demeure secrète...

## Chapitre 6

# J'aurais dû rester dehors!

La tentation est trop forte. Guillaume voit bien dans les yeux de son cousin que rien au monde ne l'empêchera d'assouvir sa curiosité. L'occasion est trop belle. Le manoir est vide et ils sont en avance sur leur horaire. Pourquoi ne pas en profiter pour inspecter l'intérieur? Les bicylettes s'y trouvent peut-être...

— Viens! dit Éric.

— Jamais de la vie. C'est vraiment trop dangereux.

— On va juste jeter un coup d'œil, c'est tout. De toute façon, il ne peut rien arriver. Le bonhomme n'est même pas là. Tu l'as vu partir comme moi.

– Ça ne fait rien. C'est peut-être un piège...

– Tu vois des pièges partout. Il n'y a pas de danger. Alors, tu te décides?

– Tu n'as pas entendu? s'emporte Guillaume. M. Sarrazin nous a conseillé la prudence. Si tu veux jouer au héros, c'est de tes affaires... Moi, je ne bouge pas d'ici. Et dépêche-toi, parce que si tu n'es pas revenu dans cinq minutes, je rentre...

– Alors, salut!

Sans plus attendre, Éric franchit le seuil de la porte et disparaît sous le regard ahuri de Guillaume. «Décidément, pense-t-il, Éric n'a pas froid aux yeux ou il est totalement inconscient des risques qu'il court.»

Guillaume consulte sa montre et soupire. Elle n'indique pas encore 4 h et, à moins d'une arrivée hâtive de M. Sarrazin, il ne voit pas comment il pourra convaincre Éric de rentrer. Il lui semble d'ailleurs qu'il est dans cette maison depuis trop longtemps. Pourquoi n'en ressort-il pas?

Il fait les cent pas, pestant contre son cousin. Malgré ce qu'il lui a affirmé quelques minutes plus tôt, il ne peut l'abandonner. En pareilles circonstances, Éric l'aurait attendu. Il l'aurait même suivi à l'intérieur. Rongé de remords, il s'approche de la porte  toujours ouverte et crie :

– Éric!

Personne ne répond. Son cœur bat à tout rompre. Il n'a plus le choix. Il pénètre à l'intérieur et crie de nouveau. Toujours pas de réponse. Il lui est arrivé malheur... Il faut le retrouver coûte que coûte. Cette fichue demeure est si grande! Par où commencer?

Il tourne à gauche. Il est si apeuré qu'il en flageole sur ses jambes. L'espace d'un instant, il a envie de rebrousser chemin, mais la sécurité d'Éric est en cause. Il l'appelle une troisième fois.

– Par ici!  répond Éric.

– Où es-tu? fait Guillaume, soulagé.

– Au fond du couloir. Viens voir! C'est débile!

Guillaume rejoint rapidement Éric dans une espèce de salon. La pièce est vaste et sombre. Seul un puits de lumière laisse filtrer un peu de clarté. Comme le soleil se couche, la pièce sera bientôt plongée dans l'obscurité.

– Tu m'as foutu la frousse! soupire Guillaume. Je pensais qu'il t'était arrivé malheur.

– J'ai fait un tour rapide de la maison. Il n'y a personne.

– En tout cas, on ne peut pas dire que ce soit très accueillant. Avec tous ces meubles recouverts de draps blancs, on se croirait dans une maison hantée. Partons, je t'en prie. J'ai peur qu'on se fasse surprendre.

– O.K., mais avant de sortir, je voudrais juste jeter un coup d'œil en bas. Je suis sûr qu'on va retrouver nos bicyclettes.

Guillaume se résigne et suit Éric qui circule dans cette maison comme s'il était chez lui. Ils dépassent l'entrée et arrivent devant l'escalier.

– Sacrabo! Inutile de chercher les commutateurs, ici! Heureusement que la clarté du dehors nous permet de voir que l'escalier tourne à gauche!

Ils descendent prudemment et leurs yeux, maintenant habitués à l'obscurité, découvrent au bas des marches les bicyclettes tant recherchées.

– Qu'est-ce que je t'avais dit? lance Éric fièrement.

– Prenons-les et partons au plus vite...

Une angoisse inexplicable envahit Guillaume. Son cœur se serre et l'empêche de respirer. Il pressent le pire. Éric s'en aperçoit et se presse de gagner rapidement la sortie.

Soudain, comme frappée d'un coup de vent, la porte claque, plongeant l'escalier dans le noir total. Éric et Guillaume veulent bondir, mais la moindre maladresse risque d'entraîner une chute fatale dans les marches.

– Ça doit être le vent, tente d'expliquer Éric sans conviction.

– Je le savais... Je le savais... J'aurais dû rester dehors...

– Ne panique pas! On arrive en haut. On sera sortis d'ici dans une minute.

– J'aurais dû rester dehors... répète le jeune garçon, angoissé.

Comme l'appréhendait Guillaume, ils ne parviennent pas à ouvrir la porte. Elle est coincée. Pendant qu'Éric s'enrage contre la porte, l'autre s'affaisse contre le mur. Ce qui semblait improbable il y a quelques heures encore, s'est produit : ils sont prisonniers.

– Aide-moi un peu... À deux on y arrivera mieux...

– Si on avait écouté M. Sarrazin, on n'en serait pas là...

Ils poussent, tirent, frappent, sans résultat.

– Il n'y a rien à faire, se résigne Éric. Elle est fermée de l'extérieur.

– Alors?

– On n'a pas le choix : on revient sur nos pas jusque dans la grande pièce et on sort par une fenêtre.

Cette suggestion rassure Guillaume qui voit là une chance de salut. Ils laissent les bicyclettes sur le bord de la porte, se dirigent vers le salon où la nuit s'est complètement installée et avancent à tâtons jusqu'à la fenêtre la plus proche.

La guigne continue de s'acharner. Les rares carreaux de fenêtres libres de tout panneau sont enduits d'une substance noire qui empêche le passage du moindre rayon de lune. Pourtant, ils auraient accueilli avec joie le plus petit faisceau. Comme si ça n'était pas suffisant, la fenêtre refuse de céder.

— Pas moyen de l'ouvrir, soupire Guillaume.

— Ah! non? C'est ce qu'on va voir...

— Qu'est-ce que tu vas faire?

— Chercher... une chaise ou autre chose. On va la casser...

— Es-tu malade? C'est du vandalisme!

— Préfères-tu rester ici? rétorque Éric.

Guillaume ne répond pas. Il veut sortir à tout prix. Éric interprète donc ce silence comme un acquiescement et cherche une chaise à proximité. En soulevant les draps blancs, il met la main sur un tabouret.

— J'ai ce qu'il faut. Toi, tu tiens le rideau et tu protèges tes yeux. À trois, je lance le tabouret dans la fenêtre. Attention! Un! Deux! ...

— Si j'étais à ta place, je poserais cela tout de suite...

Éric stoppe son élan et reste immobile. Guillaume, lui, serre le rideau contre son corps et s'appuie contre le mur. Cette voix, venue de nulle part et encore plus caverneuse que d'ordinaire, ils la reconnaissent. C'est celle du propriétaire du manoir...

– J'ai dit : «Dépose cette chaise tout de suite», répète l'homme dont le ton ne présage rien de bon.

Éric obéit et se rapproche de Guillaume. Ainsi donc, ils sont tombés dans un piège. Le travail, l'argent, les bicyclettes, tout a été habilement planifié. Ils ont mordu à l'appât du gain. L'homme est rentré chez lui à leur insu. Il a sans doute laissé lui-même la porte ouverte, comptant sur leur curiosité pour les attirer à l'intérieur.

Mais pourquoi eux? Quelles sont ses intentions? Les deux garçons, maintenant côte à côte, attendent la suite des événements, la gorge serrée. Le silence de l'inconnu commence à peser. Hormis ses deux courtes interventions, il s'obstine dans son mutisme. Cela rappelle à Éric le soir où M. Sarrazin les a emmenés chez lui.

M. Sarrazin! Comment a-t-il pu l'oublier? Quand il verra qu'ils manquent à l'appel, il saura que quelque chose a mal tourné. Alors, il interviendra.

Éric profite de l'obscurité pour chuchoter ses pensées à Guillaume. Ces quelques mots d'encouragement le poussent aussi à questionner l'agresseur sur ses intentions.

– Qu'est-ce que vous nous voulez? demande-t-il.

L'homme attend quelques instants avant de répondre :

– Vous le saurez en temps et lieu. Je dois dire cependant que vous avez été des victimes relativement faciles. Oh! J'ai bien pensé vous perdre après la disparition de vos bicyclettes, mais vous êtes tous pareils, les jeunes! La curiosité et l'argent sont vos deux grandes faiblesses. Vous ne pouvez pas résister : vous feriez n'importe quoi pour quelques dollars et pour satisfaire votre curiosité... À propos de dollars, ne croyez surtout pas que vous allez garder les billets de cet après-midi. Ma générosité a ses limites...

L'homme allume une petite lampe à l'huile derrière lui et poursuit son petit discours, le visage dans la pénombre. Visiblement, il se rit d'eux et jouit de sa suprématie, sachant bien qu'ils n'oseront l'affronter.

– J'avoue que j'ai été chanceux de vous croiser au marché. D'habitude, ça me prend plus de temps à trouver ce que je cherche. On se méfie de moi énormément. C'est vrai que je ne suis pas très beau... On me dit même que je ressemble à Dracula... Qu'est-ce que vous en pensez?

L'homme éclate de rire, d'un rire sonore et inquiétant. Éric et Guillaume se serrent l'un contre l'autre, ignorant toujours le sort qu'on leur réserve.

— Mais, vous, continue le ravisseur, c'est comme si vous tombiez du ciel. C'est comme si vous cherchiez à me rencontrer. Je n'en demande pas tant... Tiens! Je parierais même que c'est vous qui m'espionniez depuis quelque temps derrière le tas de bois.

— Qui vous l'a dit? demande Guillaume, déçu d'avoir été repéré.

— Ta question confirme mes doutes. Je ne sais pas pourquoi vous l'avez fait, mais ça n'a plus d'importance. Je vous tiens et je vous garde.

— Qu'allez-vous faire de nous? s'enquiert Éric.

— Tout à l'heure... Tu verras ça tout à l'heure...

— À votre place, je nous laisserais partir, prévient Guillaume.

L'homme éclate de rire. Des menaces, on lui fait des menaces... C'est trop drôle... Il sent bien le tremblement dans la voix du jeune homme.

– Qu'est-ce que tu vas faire si je décide de vous garder, hein?

– Quelqu'un va venir nous chercher à 5 h. S'il ne nous voit pas, il comprendra qu'il s'est passé quelque chose.

– Vous avez un protecteur?... ironise l'étranger. Et qui est-il, cet homme si formidable?

– M. Sarrazin, déclare Éric en bombant le torse.

– Ah! C'est vraiment trop facile...

L'homme se penche sur une petite table, ouvre le tiroir d'où il sort une feuille et un crayon. Il inscrit, en adoptant une écriture d'adolescent : *M. Sarrazin, nous avons fini plus tôt que prévu et nous sommes déjà rentrés. Ne vous inquiétez pas. Tout a bien fonctionné. À demain. Éric et Guillaume.*

– Qu'est-ce que vous faites? demande Éric.

– Je rédige une petite note signée de votre main à l'attention de votre M. Sarrazin, qui doit être... le pomiculteur, je suppose? Quand il la lira, il comprendra que vous êtes rentrés.

– Ça ne marchera jamais, s'écrie Guillaume. Ma mère aussi nous attend. Quand elle verra qu'on tarde, elle va l'appeler et votre note va prendre le bord...

– Elle ne l'appellera pas, répond l'homme sans se démonter.

– Comment le savez-vous?

– Elle ne l'appellera pas parce que tu vas lui téléphoner pour lui dire que ton monsieur vous garde à souper. Comme ça, tout le monde croira que vous êtes en sécurité. Quand ils s'apercevront que quelque chose cloche, il sera trop tard...

Ils ont trop parlé. On les a habilement déjoués avec des questions anodines. Leur seul moyen de se sortir de ce bourbier vient, à cause de leur indiscrétion, de s'envoler en fumée...

L'homme consulte sa montre. Il doit se hâter...

– Mais avant, je vous ligote...

# Chapitre 7

# Je m'occuperai de vous plus tard...

L'étranger du manoir se faufile facilement chez M. Sarrazin. Il sait se rendre invisible. Ses activités illicites l'obligent à passer inaperçu, sauf quand il tend un piège à une éventuelle proie. Il mesure alors toutes ses apparitions publiques de façon à rester mystérieux et insaisissable.

Certes, Éric et Guillaume ont été imprudents, mais ils sont victimes d'un professionnel. En fait, l'homme a attendu le moment propice pour attirer les jeunes chez lui. Il faut dire aussi que la rencontre au magasin l'a bien servi. Quand il a constaté la méfiance de Guillaume, il a misé sur l'audace d'Éric. En leur proposant un travail payant, il espérait gagner leur confiance.

À partir de là, il suffisait d'être patient. Tôt ou tard, le piège se refermerait sur eux. Cela a d'ailleurs failli se produire quand il les a surpris dans la cabane. Le bond rapide d'Éric l'a forcé à réviser ses plans.

C'est pourquoi il s'est félicité du vol des bicyclettes. À vrai dire, il se doutait bien qu'on ne croyait pas à son histoire. En expliquant grossièrement leur disparition, il courait le risque de ne plus revoir les adolescents. Malgré tout, il comptait sur l'intrépidité d'Éric.

L'appât du gain a pesé dans la balance, mais aussi la volonté de retrouver les fameuses bicyclettes. Dès lors, il ne lui restait qu'à mettre la dernière main à son plan et le tour était joué. Si les garçons avaient décidé de ne plus revenir chez lui, il aurait tout simplement abandonné la partie jusqu'à ce que la curiosité les pousse à se remonter le bout du nez.

Sa seule erreur a été de croire que les adolescents garderaient le vol de bicyclettes secret par crainte d'être punis. Puis, il n'a pas prévu l'entrée en scène d'une tierce personne : ce M. Sarrazin l'inquiète au plus haut point...

Quelle part de vérité y a-t-il dans les menaces proférées par Guillaume? Jusqu'à quel point le pomiculteur est-il informé de leurs activités? Y a-t-il eu un échange de propos entre l'homme et la mère du garçon? Ces questions embarrassent drôlement le bonhomme.

Son stratagème a réussi à assommer les enfants qui ont vu fondre leur espoir, mais il sait bien que son plan tient à un fil. Il suffit que M$^{me}$ Ouimet téléphone à M. Sarrazin dans la soirée et, comme le dit Guillaume, «tout prend le bord».

À la réflexion, M$^{me}$ Ouimet représente un problème mineur. Elle ne sait rien de lui, il en est persuadé; du moins, elle ne l'a jamais vu et ignore son adresse. Bref, elle n'interviendra pas en personne.

Cependant, le pomiculteur est menaçant : il semble au courant de tout. Il l'a vu encore ce matin parler aux enfants, près du tas de bois. Il faut donc l'éliminer et espérer qu'il n'a pas déjà fait appel à la police. En fait, l'étranger du manoir n'a plus le choix : il doit se tenir au courant des moindres mouvements de son adversaire au cours des heures à venir. C'est la meilleure façon de prévenir les coups...

Rendu sur le terrain ennemi, l'étranger inspecte les lieux dans ses moindres recoins. Après avoir déposé la lettre sur le perron, il glisse un œil à l'intérieur. Cependant, l'arrivée inopinée du propriétaire le force à se tapir dans un buisson d'où il guette.

Quand il constate que M. Sarrazin se dirige vers le tas de bois plutôt que vers la maison, il s'affole. Il comprend que l'homme se préoccupe du sort des gamins et va tout faire rater...

Une sonnerie retentit alors et l'étranger retient son souffle. Le pomiculteur s'arrête, fronce les sourcils, puis décide d'aller répondre au grand soulagement de celui qui l'épie. Il ramasse la note et rentre chez lui.

M. Sarrazin répond trop tard. Il hausse les épaules et savoure cet instant de quiétude. C'est le moment de la journée qu'il préfère. Toutefois, ce soir-là, il ignore qu'une paire d'yeux l'espionne par la fenêtre.

Le téléphone sonne à nouveau. Le malotru prête l'oreille pour entendre la conversation.

— Bonjour Monsieur Sarrazin! C'est Monique Ouimet, la mère de Guillaume. Comment allez-vous?

— Appelle-moi donc Robert! Depuis le temps qu'on se connaît...

— Je n'y arrive pas... C'est... enfin! Je vous appelle pour vous remercier de tout ce que vous faites pour mon fils et mon neveu. C'est très gentil de votre part. Vraiment, je ne voudrais pas qu'ils s'imposent ou que vous vous sentiez obligé de vous occuper d'eux.

— Pas du tout! Au contraire! Ils débordent de vie et sont très intéressants.

— S'ils vous dérangeaient, vous le diriez?

— Je t'assure qu'ils ne me dérangent pas. Au fait, comment ont-ils aimé leur journée?

— Mais... je ne comprends pas...

— Ils sont bien rentrés, non? s'inquiète M. Sarrazin.

— Je croyais qu'ils étaient chez vous... Guillaume a téléphoné tout à l'heure pour dire que vous les gardiez à souper...

– À souper? J'ai une note ici disant qu'ils sont rentrés...

La prédiction de Guillaume s'avère juste : les deux adultes sont déjà au courant de leur disparition. M<sup>me</sup> Ouimet dissimule mal son inquiétude. Elle a toujours laissé une certaine latitude à son garçon sans jamais penser qu'il pourrait lui arriver malheur.

De son côté, M. Sarrazin se mord les pouces. Les garçons n'ont manifestement pas parlé de leur mésaventure à M<sup>me</sup> Ouimet; quant à lui, il a fait preuve d'une incroyable inconscience en les laissant partir. Comment a-t-il pu commettre une telle erreur de jugement?

Il raconte alors brièvement les récents événements et promet formellement de retrouver les enfants. À son avis, il n'est pas trop tard, même si le faux message et le coup de téléphone de Guillaume laisse présager un danger imminent. Visiblement, en agissant ainsi, l'étranger qui les retient prisonniers a voulu gagner du temps.

– Mes enfants! On a enlevé mes enfants!

– Allons, calme-toi, Monique. Je te

promets que je vais les retrouver.

– Comment allez-vous faire? On ne sait même pas où ils sont...

– J'ai ma petite idée là-dessus, répond M. Sarrazin. Pour l'instant, reste bien tranquille chez toi et attends de mes nouvelles.

– Voulez-vous que j'appelle la police? demande M<sup>me</sup> Ouimet.

– Je ne pense pas que ce soit le moment. De toute façon, on ne te prendra pas au sérieux. Pour signaler une disparition, il faut attendre vingt-quatre heures.

– Dites-moi au moins où vous allez, juste au cas, supplie-t-elle.

– Je n'en suis pas encore sûr... Ne t'inquiète pas pour moi. Dans quelques heures, tout ça ne sera plus qu'un mauvais souvenir.

L'étranger s'écarte de la fenêtre et sourit méchamment. Ainsi, son adversaire se fait cachottier et préfère régler seul cette affaire. «Tu ne sais pas à qui tu te mesures, le vieux! Viens tant que tu veux et essaie de me reprendre les jeunes. Tu vas tomber dans le panneau toi aussi», marmonne-t-il. Il se faufile derrière les arbres et regagne son repère où il attend le pomiculteur de pied ferme.

M. Sarrazin s'attarde encore quelques instants chez lui. Avant de partir à la recherche de ses deux jeunes amis, il doit prendre toutes les précautions nécessaires pour réussir. Il a sous-estimé son ennemi et n'entend pas répéter cette erreur.

Il glisse une lampe de poche de la taille d'un crayon dans sa botte. Il y met aussi un petit couteau qui ne le quitte jamais. Il attache une corde autour de sa taille et rentre sa chemise dans son pantalon. Ces quelques accessoires pourront sûrement lui être utiles.

En fait, il se prépare au pire. Il sait qu'il coure le risque de tomber dans un piège à son tour. Cela ne l'inquiète pas vraiment. Il est déterminé à sauver Éric et Guillaume au péril de sa vie. Il lui reste à déterminer s'il se rendra là-bas à pied ou en camion.

En fait, cela n'a guère d'importance. Il ne compte pas tellement sur l'effet de surprise. Il se doute bien que les enfants ont parlé de lui; comment expliquer autrement la petite note laissée sur son perron? L'étranger est sans doute venu la porter pour chercher à gagner du temps. Le téléphone chez M^{me} Ouimet avait probablement le même but.

Il y a donc lieu de croire qu'ON se prépare à le recevoir. «Espèce de salaud! Si tu touches à un seul cheveu de ces enfants...» rage-t-il en espérant que sa venue imminente retarde les projets diaboliques de l'étranger. Cette manœuvre permettra peut-être de les faire avorter.

Finalement, M. Sarrazin opte pour le camion. Les quelques minutes qu'il prendra pour se rendre serviront à finir d'élaborer son plan d'attaque.

Il s'installe au volant, le cœur un peu serré. Bientôt il roule sur le rang Martin. Il s'arrête quelques instants au bord de la route, respire un grand coup et repart, confiant de remplir sa mission.

Arrivé à la limite de la cour, il hésite. Doit-il laisser son camion ici ou se rendre jusqu'à la maison? En rampant sur le terrain, il pourra mieux apprivoiser les lieux et peut-être surprendre son ennemi.

Les volets du côté droit le convainquent d'agir ainsi. Il pourra facilement se rendre jusqu'au bâtiment sans se faire repérer; ce serait impossible s'il passait par le tas de bois.

Il franchit la distance en quelques minutes et s'appuie contre la pierre pour reprendre son souffle. Le plus difficile reste à venir. Doit-il simplement cogner et réclamer innocemment les enfants? Ou essayer d'entrer par une fenêtre à l'arrière? Ou encore attendre une occasion et passer simplement par la porte?

Le hasard l'aide à trancher et lui fournit cette occasion rêvée. Tandis qu'il se questionne, l'homme tourne l'autre coin et marche vers lui. M. Sarrazin contourne discrètement la demeure et se retrouve rapidement de l'autre côté. En regardant derrière, soulagé, il constate qu'on ne l'a pas suivi.

Sachant qu'il ne peut rester là, il court jusqu'à la cabane d'où il aura un meilleur point de vue. Il remarque alors que la porte de la maison est restée ouverte. Il patiente de longues minutes sans que son ennemi réapparaisse. Où est-il passé? S'agit-il d'une ruse pour l'attirer dans un guet-apens?

L'attente devient insoutenable. Il n'a

plus le choix : c'est maintenant ou jamais. Il jette un dernier coup d'œil autour et fonce jusqu'à l'entrée. L'idée lui vient de refermer la porte, mais il se ravise. Tout doit rester tel quel pour ne pas éveiller les soupçons du propriétaire.

M. Sarrazin emprunte le même chemin que les adolescents en avançant prudemment. Pour l'instant, il préfère garder sa lampe de poche éteinte.

— Éric! Guillaume! chuchote-t-il.

Pas de réponse. Il longe le corridor, à l'affût du moindre signe de vie. En arrivant dans la grande pièce, il entend des coups répétés sur un tuyau ou un objet de métal quelconque. On dirait que ça vient du sous-sol.

«Ça y est! Je les ai!» se dit-il en s'élançant vers la cave. Il passe devant la porte toujours ouverte et s'arrête quelques marches plus bas. Le bruit a cessé. Il murmure à nouveau :

— Éric! Guillaume!

Le bruit reprend de plus belle. Il est sûrement sur la bonne piste. Il dévale l'escalier et rendu au bas des marches, il reçoit un violent coup sur la nuque...

# Chapitre 8

# Le temps presse...

L'opération de sauvetage se déroulait trop facilement. M. Sarrazin a laissé tomber sa méfiance trop vite, comme s'il oubliait qui il affrontait. Dans sa hâte de retrouver les jeunes, il est tombé dans le piège qu'on lui a tendu.

L'individu a habilement joué de ruse. M. Sarrazin n'a pas échappé à sa surveillance un seul instant. En effet, le propriétaire du manoir s'est caché sur le côté opposé de la maison et a attendu patiemment que l'autre se montre le bout du nez.

Au moment opportun, en s'avançant vers lui, il l'a forcé à contourner le bâtiment. C'est alors qu'il est rentré par une fenêtre laissée ouverte. Le reste n'était plus qu'un jeu d'enfant. Il a eu suffisamment le temps de se cacher au sous-sol pour attendre le sauveur.

Les bruits répétés contre le tuyau constituait la pièce maîtresse de son piège : M. Sarrazin s'y est laissé prendre comme un débutant. Le choc sur la nuque a été si brutal que pendant un instant, il a bien cru lui avoir rompu le cou. Cependant, la charpente du pomiculteur a offert une résistance peu commune.

En fait, la mort de M. Sarrazin l'aurait laissé indifférent, mais il préfère se débarrasser de lui autrement. En d'autres termes, son heure n'est pas encore venue...

Sans prendre la peine de le fouiller, il le ligote, le bâillonne et l'attache solidement contre le tuyau du renvoi d'eau. «Je viendrai m'occuper de toi tout à l'heure, lui dit-il. Pour l'instant, je vais rendre visite à mes deux petits amis.»

Il vérifie la solidité des nœuds et quitte le sous-sol dans un rire démoniaque. En passant devant l'entrée, il referme la porte et la maison est plongée dans une obscurité quasi totale...

\* \* \*

Entre-temps, Éric et Guillaume ont vécu les pires heures de leur vie. D'abord, il y a eu le coup de téléphone fait sous la menace d'un couteau. Guillaume a éprouvé un mal fou à parler calmement à sa mère en voyant la lame appuyée sous la gorge de son cousin.

Ensuite, ils ont été plongés dans un sommeil profond quand l'étranger leur a appliqué sur le nez un chiffon imbibé d'éther. À leur réveil, ils ont compris qu'ils étaient séquestrés sans trop savoir où. En effet, la pièce est si noire qu'ils ne parviennent même pas à se voir.

Finalement, ils ont eu vent de l'arrivée de M. Sarrazin lorsqu'ils l'ont entendu les appeler. Cependant, l'espoir d'être sauvés s'est rapidement envolé quand il a pris la direction de la cave. Ils ont désespérément tenté de le prévenir, mais leur bâillon leur serrait si fort les mâchoires qu'il les empêchait de produire un seul son.

Ils ont ressenti une immense détresse en entendant le rire sonore et cruel de l'étranger. Ils réalisent que M. Sarrazin est hors de combat. Comme ils connaissent suffisamment l'esprit dérangé de leur ravisseur, ils craignent que le pomiculteur n'ait rejoint un monde meilleur...

Leur désespoir est d'autant plus grand qu'ils ne peuvent ni se parler ni même échanger un regard. Chacun reste avec ses inquiétudes, ses angoisses, sans pouvoir les partager. Jamais ils n'ont éprouvé pareille solitude, pareil désarroi.

Instinctivement, ils se serrent l'un contre l'autre. Cette chaleur humaine leur fait le plus grand bien, mais le réconfort est de courte durée. Soudain, la porte s'ouvre et une ombre s'avance vers eux :

– Comment ça va mes petits agneaux? Je m'en viens vous donner un peu d'air avant la cérémonie. Vous en profiterez pour vous dire adieu... Je vous laisse... j'ai des choses à préparer...

L'homme s'éloigne et fait résonner une fois de plus son méchant rire. Il referme la porte à clé et laisse les deux garçons avec leurs inquiétudes.

– Une cérémonie? Quelle cérémonie? demande Guillaume en se déliant les muscles de la mâchoire.

– J'aime autant ne pas le savoir... répond Éric. Tout ça, c'est ma faute. Je me suis pris pour un autre. Si je t'avais écouté, on ne serait pas ici et M. Sarrazin ne serait pas m...

– ... Mort? Tu crois qu'il est mort?

– Avec ce malade, on ne sait jamais...

– Il ne faut pas perdre espoir...

– Tu es drôle, toi! Tu es le premier à t'énerver pour n'importe quoi. Là, on est ficelé comme des saucissons, on ne sait pas ce qui nous attend, notre seule chance d'être sauvés s'est évanouie et tu continues à espérer...

– C'est que je ne peux pas croire qu'il n'y a plus rien à faire, confie Guillaume. J'admets que je panique facilement, mais je suis sûr que M. Sarrazin a pris des précautions. Il a tellement insisté pour qu'on fasse attention... Il n'aurait pas été assez stupide pour venir ici sans demander de renfort.

– Eh bien!, il n'arrive pas vite, le renfort...

Tout en échangeant ces paroles, les

deux garçons tentent de se détacher. Mais l'étranger s'y connaît en nœuds, et leur position inconfortable rend l'opération presque impossible. Pourtant, ils persévèrent. L'étonnante obstination de Guillaume y est sans doute pour quelque chose.

– Sacrabo! gémit Éric. Il a dû être matelot, ce gars-là! Plus on tire, plus ça serre...

– Essayons de nous détacher les pieds, propose Guillaume. Comme ça, on sera plus à l'aise pour bouger.

– O.K., mais si ça ne te fait rien, on se concentre d'abord sur les miens. C'est juste si le sang circule encore dans mes veines... Toi, ça va?

– Pas pire... Maintenant, tourne-toi un peu et approche tes pieds de mes mains.

Ils s'acharnent pendant de longues minutes, mais doivent se rendre à l'évidence : ils perdent leur temps. Leurs efforts sont parfaitement inutiles. Même s'ils étaient plus à l'aise pour se détacher, ils éprouveraient presque autant de difficultés. Bref, un couteau ferait bien l'affaire...

– Ça ne sert à rien! soupire Guillaume. Je n'arrive pas à sentir où le nœud commence. On dirait que la corde n'a pas de bout...

– Laisse-moi essayer sur tes pieds.

Éric échoue lui aussi : Guillaume est trop solidement attaché.

– Arrête! supplie le garçon. J'ai l'impression que la corde va me scier les os...

– Excuse-moi...

– Ça va... Ce n'est pas ta faute...

– Excuse-moi aussi de t'avoir entraîné jusqu'ici. Pour la première fois de ma vie... j'ai peur de mourir...

– Tu n'es pas tout seul... Je ne pense qu'à ça... C'est comme un interminable cauchemar. J'ai beau me dire qu'on va se réveiller... Moi aussi je me sens un peu responsable de nos malheurs. Si je ne t'avais pas amené près du tas de bois, si je m'étais mêlé de mes affaires...

– Laisse tomber! Au moins, on est ensemble. Et puis, il est trop tard pour avoir des remords. Il reste une chose à essayer : AU SECOURS! AU SECOURS!, hurle Éric.

- À L'AIDE! enchaîne Guillaume.

La porte s'ouvre brusquement et une voix autoritaire leur ordonne de se taire.

— Un mot de plus et je vous remets le bâillon.

— Qu'allez-vous faire de nous? demande Éric.

— Encore une petite demi-heure et tu seras fixé mon gars.

— Vous allez le payer cher! ajoute Guillaume. AU SECOURS!

— Ta gueule, petit morveux!

L'homme a levé le bras, mais il s'est retenu de gifler le garçon. Il s'est contenté d'ajouter avant de quitter la pièce :

— Bof! Si ça vous chante de vous égosiller. Personne ne vous entendra...

L'étranger se trompe. Quelqu'un les entend. En effet, quelques mètres plus bas, M. Sarrazin s'efforce de sortir de sa fâcheuse position. Chaque cri l'atteint cruellement et lui rappelle son impuissance.

Les liens l'empêchent d'enlever sa botte. S'il parvient à laisser passer son canif, il aura une chance. Il s'accroche donc à ce mince espoir et cherche, au prix de nombreuses acrobaties, à mettre la main sur son couteau.

Bientôt, il se retrouve à la verticale, les pieds en l'air. Il les frappe doucement ensemble pour faire sortir l'instrument, mais il est interrompu : on vient. Il reprend tant bien que mal sa position initiale et feint l'inconscience.

L'homme s'arrête au pied des marches, projette un faisceau lumineux dans sa direction et s'exclame : «Encore endormi? Tant mieux! Ça fait un problème de moins à régler pour l'instant.» Comme il remonte, on frappe à la porte : un grand coup, puis trois petits, puis deux autres grands.

L'étranger répond par une autre série de coups et obtient à son tour une réponse du même genre. Ça ressemble à un signal, une espèce de mot de passe. Il ouvre et souhaite la bienvenue à une demi-douzaine de personnes.

— Entrez! Vous arrivez juste à temps. Nous allons être bientôt prêts à commencer.

— Tout s'est bien passé? demande quelqu'un.

— Il y a eu quelques problèmes, mais rien qui puisse nous empêcher de procéder à la cérémonie. Malheureusement, à compter de demain, nous devrons nous trouver un nouveau lieu de réunion. Enfin! Nous reparlerons de tout cela plus tard. Venez!

M. Sarrazin attend quelques instants avant de reprendre sa position de tout à l'heure. Le temps presse... Il doit à tout prix se libérer...

## Chapitre 9

# Faits comme
# des rats...

— As-tu entendu? demande Guillaume. On dirait qu'il n'est plus seul.

— Ce n'est sûrement pas nos appels au secours qui ont amené ce monde-là.

— Ouais! En tout cas, je ne suis plus capable de lâcher un seul cri. J'ai la gorge en feu.

— Moi non plus. On est fichus, Guillaume, fichus...

— Tu crois qu'il va nous...

— Tuer? Peut-être... Je ne sais pas...

avoue Éric, désabusé.

— Ça te fait quoi de penser à ça?

— C'est difficile à dire. Pour le moment, on est tranquilles. Je veux dire, il nous fiche la paix. Alors, c'est comme si on était couchés et qu'on se racontait nos vies, les cordes en moins... Mais quand je m'y arrête vraiment, j'étouffe, je manque d'air, les larmes me montent aux yeux et...

Éric cesse de parler. Pour la première fois de sa vie, Guillaume réalise que son cousin a des faiblesses comme lui. Il l'a toujours cru invincible, indestructible. Combien de fois l'a-t-il vu fanfaronner en prétendant que rien ne l'effraie? Combien de fois l'a-t-il vu relever des défis sans réfléchir aux conséquences?

Chaque événement le moindrement dangereux sert de prétexte pour étaler son courage. Il suffit de lui dire qu'il a peur de faire telle ou telle chose pour qu'il s'exécute. Avec un orgueil pareil, il peut se compter chanceux de s'en être toujours sorti sans blessure grave.

C'est pourquoi Guillaume prend conscience de l'immense effort d'Éric pour avouer sa peur. Loin de le décevoir, cette facette de sa personnalité le réjouit. Il n'en devient que plus humain à ses yeux. Lui-même partage entièrement les mêmes craintes.

– Je ressens exactement la même chose que toi. Moi, tu le sais, j'ai peur depuis le début. Si je m'étais écouté, je ne serais jamais venu travailler ici. Mais je voulais passer du temps avec toi et surtout te prouver que je pouvais surmonter ma peur... Je voulais être comme toi...

– Comme tu peux le constater, je suis pas mal un gros parleur...

– Ne dis pas cela! s'emporte Guillaume. Ça n'a rien à voir. On a affaire à un malade... Je voudrais bien voir quelqu'un ne pas avoir peur à notre place. Puis, je ne suis pas mieux que toi...

– Tu es pas mal plus courageux que tu le penses, rétorque Éric. Au moins, tu ne prétends pas être le plus brave. Moi, j'agis surtout pour prouver quelque chose, tandis que toi...

Guillaume reçoit le compliment comme une bouffée d'air frais. Lui, courageux? Jamais il n'aurait cru entendre une pareille chose, encore moins de la bouche de son cousin. Ces bons mots lui remontent le moral : ils ne sont pas perdus.

– Ça me fait du bien ce que tu me dis là. Je te remercie. Il ne faut pas désespérer. On pourrait peut-être s'occuper l'esprit à autre chose et essayer encore de se détacher.

– D'accord, mais je veux que tu me promettes une chose. Si jamais on sort d'ici, tu ne racontes rien de ce qu'on s'est dit.

– Parole d'honneur, croix sur le cœur, jure Guillaume.

Ils tentent encore de dénouer leurs liens tout en échangeant des propos anodins. Chacun y va de ses souvenirs, de ses anecdotes, de ses blagues. À les entendre on aurait du mal à croire qu'ils sont retenus prisonniers. En fait, toute trace d'inquiétude a disparu pour faire place à une détermination et à une joie de vivre inattendues.

Les deux garçons expérimentent ce que plusieurs vivent chaque jour : puiser à l'intérieur d'eux-mêmes la force nécessaire pour résister à l'abandon et au désespoir. Ils font inconsciemment appel à des ressources insoupçonnées. C'est là la plus grande leçon qu'ils peuvent tirer de leur situation.

Sentant leurs liens un peu plus lâches, ils redoublent d'ardeur.

— Ça y est! s'exclame Éric. Mes pieds sont libres! Essayons les tiens maintenant. Je crois que j'ai compris comment sont faits ces nœuds.

Bientôt, les pieds de Guillaume sont à leur tour détachés. Cette victoire les encourage à poursuivre leurs efforts.

Dès que l'un des deux sera libéré, il détachera l'autre et ils fileront par la fenêtre. L'étranger n'y verra que du feu et n'aura pas le temps de réagir.

Éric s'affaire sur les mains de Guillaume, mais il propose rapidement à son cousin d'inverser les rôles. Comme ils sont dos à dos, ils s'aident mutuellement à se débarrasser de ces fichues cordes.

De temps à autre, ils s'arrêtent, guettant le moindre bruit. La maison reste silencieuse et rien ne laisse présager le retour immédiat de leur ennemi. Alors ils se remettent aussitôt à la tâche avec la même détermination.

— Guillaume! Guillaume! J'ai une main libre... Je suis libre... Vite! Que je te détache! Dans une minute, on est partis...

Hélas! une sombre apparition jette une douche froide sur leur bel espoir. Au moment même où Éric savoure ses premières secondes de liberté, deux silhouettes surgissent dans l'embrasure de la porte. Trop absorbés, les garçons n'ont rien vu, rien entendu.

– Eh bien! Je crois que nous arrivons juste à temps. Ce n'est pas encore le moment de s'en aller... Occupe-toi du plus petit, je prends le plus grand.

Sans réfléchir, Éric fonce sur les deux inconnus, bien décidé à vendre chèrement sa peau. Il ne sera pas dit qu'il n'aura pas tout tenté pour sortir de ce piège. Comme il n'a pas terminé de détacher son cousin, il espère se sauver seul et aller chercher de l'aide.

Profitant de la surprise, il réussit à filer entre les deux visiteurs. Il s'élance dans la maison.

– Surveille celui-là et va avertir le grand chef. Je m'occupe de l'autre. Il ne pourra pas aller loin.

Éric se retrouve dans une partie inconnue de la maison. Il est tout désorienté. Pourtant, une seule chose importe : retrouver la porte d'entrée.

Il file droit devant et arrive dans un couloir qu'il suit jusqu'au bout. Il heurte une petite table au passage et la laisse tomber espérant faire trébucher son poursuivant. Alerté par le vacarme, le propriétaire des lieux sort d'une pièce à l'autre extrémité du corridor et crie :

— Qu'est-ce qui se passe?

— Un des jeunes s'est échappé!.

— Imbécile! Tu vas tout faire rater! Toi! Vite! Va jusqu'à l'entrée et attends-le. Il ne doit pas sortir d'ici. Emmenez-moi l'autre tout de suite. Dépêchez-vous!

S'avance alors un individu habillé d'une immense toge avec un capuchon qui lui cache presque tout le visage. On dirait un moine. Il se rend rapidement à son poste sans remarquer le jeune fuyard qu'il frôle au passage.

Éric sait maintenant où se trouve la sortie, mais elle est gardée. Le temps presse. Tous le recherchent. Caché derrière un fauteuil dans la grande pièce, il espère seulement qu'on le croit parti.

Même si pour l'instant ça l'arrange, une chose l'intrigue : pourquoi les inconnus s'acharnent-ils à garder les lumières éteintes? Ils se contentent de s'éclairer à la chandelle. Ce comportement bizarre l'étonne vivement.

Soudain, le propriétaire des lieux s'avance en tenant Guillaume par le cou. Le pauvre, glacé de terreur et étouffé sous l'emprise, n'ose pas remuer. Très calmement, l'homme déclare :

– Je sais que tu es quelque part dans cette pièce et je n'ai pas le goût de perdre mon temps à te chercher. J'ai passé l'âge de jouer à cache-cache. Alors, tu sors de ton trou, sinon je fais bobo à ton copain.

Guillaume veut crier à son cousin de ne pas s'occuper de lui, mais il sait pertinemment que de toute façon Éric ne pourra pas s'évader. La réponse tarde à venir. Le cerveau du jeune fugitif fonctionne à toute vitesse. Il n'a aucune chance de s'en sortir. Toute tentative héroïque est inutile.

D'ailleurs, cette situation ne ressemble en rien à celles qu'il a vécues avec ses amis pour les épater. Les issues sont bloquées et il ne peut quand même pas neutraliser une demi-douzaine de personnes. Les enjeux sont trop importants. Il y va du sort de Guillaume.

À contrecœur, il pousse le fauteuil et se laisse capturer. Immédiatement, deux personnes l'entourent. Il n'oppose aucune résistance.

— Bon! Te voilà plus raisonnable. C'est bien. Mes félicitations! Te défaire de ces nœuds tient du miracle. Vraiment, tu es un meilleur candidat que je ne le croyais. Il va falloir casser ton sale petit caractère, mais ça ne devrait pas être trop difficile.

— Ça va, nous le tenons. Tu peux revenir, crie-t-il à celui qui monte le guet devant l'entrée. Emmenez-les. Cette fois, ne les laissez pas s'échapper. Nous sommes en retard à présent.

Pour plus de précautions, on attache la jambe gauche d'Éric à la jambe droite de Guillaume. À n'en point douter, ils sont faits comme des rats...

— Ça va? demande Guillaume.

— Ouais! Si on veut... Et toi?

Ils n'ont pas besoin d'élaborer. Leur moral est au plus bas. S'ils avaient disposé d'un peu plus de temps, ils seraient sans doute libres. Tous leurs efforts sont réduits à néant.

Peu après, on les emmène dans la pièce d'où était sorti le grand chef. C'est le seul endroit d'où s'échappe de la lumière. Et quelle lumière! Les deux adolescents n'en croient pas leurs yeux.

Jamais ils ne se seraient doutés d'une chose pareille...

# Chapitre 10

# Il était moins cinq...

Les deux garçons, éblouis, mettent un peu de temps à s'habituer à cette clarté. Le retour à la lumière devrait les réjouir après toute la noirceur qu'ils ont connue. Pourtant, non. Ils restent là, figés, n'osant pas avancer.

Le décor est horrifiant. Des rideaux noirs couvrent les murs, à l'exception de celui du fond. Une bande de velours rouge sang pend du plafond noir et orne le tour de la pièce. Une table ou plutôt un autel recouvert d'un drap violet se dresse au centre.

Dans chaque coin, des crucifix sont posés à l'envers. On en retrouve d'autres semblables sur le drap de l'autel. Des chandelles noires dans des candélabres antiques jettent un éclairage particulier, créant une atmosphère macabre.

Éric et Guillaume frémissent devant l'immense peinture qui se détache sur le mur du fond. Elle représente le Prince des ténèbres, Satan en personne. Vêtu d'une large cape, entouré de flammes et tenant son inséparable trident, il semble veiller sur la cérémonie qui s'annonce.

Les deux garçons se regardent, terrifiés. Que signifie toute cette mise en scène? Dans quelle sorte de monde se retrouvent-ils? Guillaume sent son cœur palpiter. De toutes les horreurs qu'il a visionnées, celle-ci remporte la palme et de loin. Il a l'impression de perdre la raison. Éric s'efforce de garder son sang-froid.

– Qu'allez-vous faire de nous? demande-t-il la gorge un peu serrée.

– Vous initier à une secte dont je suis le grand prêtre, répond l'homme très calmement.

— Une secte? Nous ne voulons pas faire partie de votre secte... Laissez-nous partir, supplie Guillaume.

— Il est trop tard. D'ailleurs, vous n'avez pas le choix. Nous ne vous demandons pas votre avis. Nous prenons ce que nous voulons pour combler nos besoins. Dans quelques instants, vous appartiendrez à Lucifer, notre maître à tous.

— Nous ne nous laisserons pas faire, affirme Éric qui retrouve de plus en plus son aplomb.

— Que vous le vouliez ou non, c'est ce qui vous attend. Certaines personnes sont devenues nos frères volontairement; d'autres s'apprêtent à le devenir. C'est le cas d'une personne ici présente dont nous célébrerons bientôt le baptême. Nous cherchons aussi à assimiler tous les gens que nous rencontrons, spécialement les enfants et les adolescents qui font d'ex-cellents serviteurs.

— Nous n'accepterons jamais de vous servir, crie Guillaume en se débattant furieusement.

Éric se démène tout autant. Il faut les maîtriser. L'homme s'avance lentement vers eux et les fixe longuement. Bientôt, ils s'apaisent, comme hypnotisés. Un seul regard a suffi à les réduire au silence.

– Vous ferez ce que je vous dirai quand je vous le dirai, déclare le grand prêtre. Puis, regardant ses acolytes, il ordonne :

– Faites-les asseoir dans un coin. Nous allons commencer aussitôt que notre frère sera revenu dans la pièce.

Au même moment, le gardien de l'entrée arrive. Il jette un coup d'œil dans le coin et referme la porte derrière lui.

Soudain, une musique étrange s'élève dans la salle. Le chef de la secte invite ses frères à s'approcher de l'autel. Puis, se retournant vers l'affreux tableau, il prie son maître dans une langue bizarre et inconnue.

En réalité, il s'agit d'une oraison en latin, récitée à l'envers. Les sectes sataniques prient ainsi; c'est leur façon de railler la religion catholique. Tout est inversé : les crucifix dans les coins et sur le drap symbolisent la chute du Christ devant Satan.

Les disciples répètent chaque phrase de la prière. À la fin, le grand prêtre se retourne, fait signe à l'un d'eux d'avancer et aux autres d'entourer la table. Le dernier entré reçoit l'ordre de se placer derrière les deux adolescents.

Éric et Guillaume sortent tranquillement de leur torpeur et observent, sidérés, la scène qui se déroule sous leurs yeux. Le nouvel initié est couché sur la table, à demi-vêtu.

Le grand prêtre prononce une incantation et soulève un calice dans lequel il verse quelques gouttes d'une substance inconnue. Mélangées au liquide dans le récipient, elles produisent une fumée blanche qui monte toute droite dans la pièce. Il se retourne alors vers l'homme étendu et lui signifie de se redresser.

Quelqu'un s'approche avec un autre contenant qu'il place sous la tête de l'individu, tandis qu'un troisième participant la soutient. Ensuite, on verse lentement le contenu du calice au son d'une nouvelle incantation. Le baptisé entre alors en transe. On doit même l'étendre sur l'autel et le retenir.

Cela n'inquiète nullement le grand prêtre qui lui saupoudre une substance noire. Il trace une croix sur le front et répète le même geste sur le sternum. Ensuite, il invite ses disciples à s'agenouiller. Toute convulsion a disparu.

Les deux adolescents sont forcés de se mettre à genoux également. Cette période de recueillement dure quelques minutes. Au bout d'un moment, le grand prêtre se relève, tenant dans une main un poulet vivant, le bec solidement attaché et dans l'autre, un couteau à dépecer.

Il s'avance vers l'autel et se prépare à trancher la tête de l'animal. À cet instant, un bruit indistinct mais sonore parvient du corridor. Aussitôt, l'homme qui se tient derrière Éric et Guillaume fonce sur l'autel, bouscule trois personnes et saute sur le prêtre.

Un bref combat s'ensuit au cours duquel l'agresseur s'empare du couteau. Il se relève. La porte s'ouvre et la pièce se remplit de policiers. Tout s'est déroulé si vite que l'initié et les deux autres disciples n'y ont vu que du feu.

Éric et Guillaume sont tout aussi étonnés et se demandent ce qui se passe. Ils sont sauvés! Comment les a-t-on retrouvés? Qui a prévenu les policiers et les a conduits au manoir? Et surtout, quel mystérieux personnage se cache derrière le capuchon?

Ils ne tarderont pas à le savoir. Pendant qu'on emmène les membres de la secte, l'homme s'avance vers eux. Il retire lentement son capuchon et demande :

— Rien de cassé les p'tits gars?

— M. Sarrazin!!!

— Content de vous revoir les enfants. Pendant un moment, j'ai bien cru qu'on s'était perdus pour de bon.

— Et nous donc! On vous croyait mort... s'exclame Guillaume.

Pour une belle surprise, c'en est toute une! M. Sarrazin est sain et sauf! Sitôt libérés de leurs liens, ils lui sautent au cou et le pressent de questions.

— Comment avez-vous fait pour vous faufiler jusqu'ici? demande Guillaume.

— Où étiez-vous tout ce temps? renchérit Éric.

— Qu'est devenu celui à qui appartient cette toge? poursuit l'un.

— Comment vous êtes-vous libéré? enchaîne l'autre.

— Doucement, doucement. Une question à la fois. Mais d'abord, il faut appeler ta mère et lui dire que tout va bien.

M. Sarrazin s'adresse au sergent Desrochers, un de ses amis, et le charge de prévenir M^me Ouimet. Comme ils doivent tous se rendre au poste pour remplir les rapports, il vaut mieux la rassurer tout de suite.

Pendant que les policiers s'affairent à fouiller les lieux, le héros raconte comment il s'y est pris pour déjouer son ennemi. D'abord, il avoue avoir fait preuve d'imprudence en présumant n'avoir pas été repéré. Son séjour dans la cave lui a permis d'analyser les faits et de conclure que l'adversaire était au courant de ses moindres gestes.

– Il était probablement caché dans les buissons quand ta mère et moi avons constaté votre disparition. Forcément, il m'a attendu et je suis tombé dans ses pattes comme un débutant. Mais j'avais pris mes précautions...

M. Sarrazin, conteur naturel, savoure chaque instant de son petit récit. Il se délecte des phrases du type «j'avais pris mes précautions...» qui relancent inévitablement l'histoire et piquent la curiosité de ses auditeurs. Ils sont pendus à ses lèvres.

Il raconte comment, au prix de nombreuses acrobaties, il a réussi à mettre la main sur son canif et à se libérer. Il explique qu'il a été surpris et que, croyant avoir affaire à son ennemi, il a feint une fois de plus l'inconscience.

– Ce n'était pas lui, affirme Guillaume. Éric avait réussi à leur échapper et IL avait envoyé un gars bloquer l'entrée.

– C'est ce que j'ai cru comprendre. Avec tout le vacarme que j'entendais là-haut et le fait qu'on me laissait sans surveillance, je savais qu'il fallait agir vite. Alors, j'ai sauté sur l'occasion...

Profitant de la noirceur, M. Sarrazin a gravi silencieusement les marches, il a saisi le guetteur par derrière et lui a appliqué la prise du sommeil. Après l'avoir solidement bâillonné et ligoté, il a revêtu l'habit de cérémonie et s'est précipité dans la pièce maudite.

Pour le reste, il a improvisé. Comme il ne savait pas exactement à qui il avait affaire, il a attendu le moment propice pour intervenir. Le hasard l'a bien servi quand on l'a chargé de surveiller les adolescents. Puis, il y a eu le bruit dans le couloir. Il a décidé de foncer.

– Comment saviez-vous que les policiers allaient intervenir? demande Éric.

– Je te l'ai dit tantôt. J'avais pris mes précautions. Si, comme je le suppose, j'étais surveillé pendant que je parlais à ta tante, j'ai été fichtrement bien inspiré d'attendre avant d'appeler la police.

M. Sarrazin explique que s'il avait laissé Mme Ouimet prévenir les autorités, celui qui les épiait aurait doublé les mesures de sécurité et l'opération de sauvetage aurait été fort compromise. C'est dans son camion qu'il a contacté son ami d'enfance, le sergent Desrochers, et lui a brossé un tableau de la situation.

Ils ont alors convenu de le laisser agir seul. Si au bout d'une heure trente le pomiculteur n'avait pas donné signe de vie, les policiers s'introduiraient de force en espérant qu'il ne soit pas trop tard. C'est tout ce que la loi leur permettait.

– Heureusement, notre plan a fonctionné à merveille. Juste avant de vous retrouver ici, j'ai ouvert la porte aux renforts. Nous nous sommes donné un délai de dix minutes. Dès qu'un bruit s'est fait entendre, j'ai su que c'était le signal. Alors, je n'ai pas hésité.

— En plein comme dans les films! blague Guillaume.

— En tout cas, vous êtes arrivé à temps, conclut Éric. J'étais complètement désespéré.

— On n'est jamais trop méfiants, dit M. Sarrazin. On aurait dû écouter Guillaume un peu plus. Et moi, j'aurais dû vous empêcher de venir travailler ici. Aujourd'hui, on s'en tire bien, mais la prochaine fois...

— Il n'y aura pas de prochaine fois, jure Guillaume.

Il a aussi été question des adolescents qui n'ont pas soufflé mot de leurs activités ni du vol des bicyclettes à M$^{me}$ Ouimet. Bien sûr, tout le monde est sain et sauf. Toutefois, M. Sarrazin reste persuadé que rien de tout ça ne serait arrivé si le dialogue entre les enfants et les adultes avait été plus ouvert. Il s'en veut.

— Je n'ai pas vraiment rempli mon rôle. J'aurais vraiment dû être plus prudent. Mais une chose est sûre : quand vous comprendrez, vous les jeunes, que tout ce qu'on veut c'est votre bien, vous n'hésiterez plus à rendre des comptes aux adultes. On n'est pas là pour vous empêcher de vivre vous savez; on est là pour vous guider de notre mieux, malgré les erreurs.

– On... je n'ai pas été très prudent moi non plus, reconnaît Éric. S'il y a un grand responsable dans tout ça, c'est bien moi.

– On n'est pas ici pour se blâmer, intervient Guillaume. Moi, je veux tout oublier le plus vite possible et quitter cette maudite maison.

– D'accord, dit M. Sarrazin, mais qu'on se comprenne bien! Je ne vous en veux pas et ta mère non plus sans doute. Vous aurez peut-être droit à quelques reproches... Dites-vous que c'est pour votre bien...

Ils récupèrent les bicyclettes et sortent du manoir en le regardant une dernière fois...

# Épilogue

La déposition au poste dure presque deux heures. Longuement interrogés, les jeunes racontent comment ils ont connu le mystérieux habitant du manoir. Le fichier central révèle des choses fort éloquentes à son sujet. C'est un évadé de prison, un dénommé Hugo Normand, recherché depuis des mois. Il a été condamné à plusieurs reprises pour activités illégales dans le commerce de la drogue et pour des actes de violence.

Il est maintenant accusé d'enlèvement, de séquestration et de pratique de rituel satanique. De plus, il est accusé d'occupation illégale d'un lieu.

En effet, des documents municipaux révèlent que le manoir ne lui appartient pas. En fait, la propriété fait partie d'une succession en voie de règlement. Comme elle est inhabitée, la compagnie d'électricité a préféré débrancher le courant.

On ignore comment le sombre individu a pris possession des lieux, mais il a profité d'une situation idéale pour se livrer à des activités plutôt louches.

M. Sarrazin s'en veut de n'avoir pas été plus vigilant. Il ne pouvait pourtant pas savoir. Qui se permet d'interroger chaque habitant pour vérifier ses titres de propriété? Hugo Normand savait très bien qu'il pouvait dormir tranquille.

Les mêmes accusations pèsent sur les complices. Quand ils se retrouvent tous détenus dans une même salle, le chef du groupe hurle :

— Vous ne perdez rien pour attendre. Satan sera bientôt maître de l'univers...

Ces paroles résonnent aux oreilles des deux garçons qui frissonnent dans un bureau avoisinant. Le diable, Maître de l'Univers? Ils n'osent pas y penser.

M<sup>me</sup> Ouimet rejoint finalement son